DIE WEHRMACHT
IM KAMPF
BAND 31

PAUL W. ZIEB

Logistische Probleme der Kriegsmarine

Mit 6 Kartenskizzen

1961
NECKARGEMÜND

Scharnhorst Buchkameradschaft

Gesamtherstellung Buchdruckerei Paul Christian KG., Horb a. N.
Zeichnungen F. Liewald, Heidelberg

INHALT

VORWORT

Es ist im Rahmen dieses Buches weder möglich noch beabsichtigt, die Logistik der Kriegsmarine in den letzten Jahrzehnten zu schildern. Für eine solche Aufgabe fehlen ausreichende Unterlagen und Akten; auch die Statistischen Jahrbücher und das Werk des Reichsarchivs „Kriegsrüstung und Kriegswirtschaft" können nicht mehr sein als ein Beitrag zur Untersuchung dieser Logistik. Die versuchte Prüfung des logistischen Aufwandes für den Flottenbau im 1. Weltkriege im Verhältnis zum Industriepotential des Reiches kann daher auf Vollständigkeit keinen Anspruch erheben; sie kann nicht mehr sein als ein Hinweis, daß durch einen strategisch nicht gerechtfertigten großen logistischen Aufwand Nachteile für die Landesverteidigung entstehen können. Hier wird der weitreichende Einfluß der Logistik bis zur Strategie sichtbar.

Als ehemaliger Ingenieuroffizier der Marine habe ich bevorzugt solche Themen behandelt, die Aufgaben und Leistungen des Maschinenpersonals der Marine vor dem Vergessenwerden bewahren sollen, ferner Selbsterlebtes sowie andere Nachschubaufgaben, für die genügend Material zur Verfügung stand. Die Ausführungen geben daher nur einen kleinen Ausschnitt aus der Logistik der Kriegsmarine seit 1900 wieder.

Dem Wunsch, den Gefechtsdienst des Maschinenpersonals, die Erfolge der Kraftfahreinsatz-Abteilung und Ähnliches zu behandeln, konnte ich schon aus Raumgründen nicht entsprechen. Diese Dinge gehören nicht in das Gebiet der Logistik.

Die Ausführungen sollen zur Definition des schwer zu begrenzenden Begriffs „Logistik" beitragen; sie werden zeigen, daß „Logistik" mehr ist als nur eine Zusammenfassung der früheren Bezeichnungen „Nachschub" und „Verwaltung". Aus diesem Grunde werden sowohl Nachschubaufgaben im alten Sinne ausführlich behandelt wie auch größere logistische Zusammenhänge aufgezeigt, die über das Gebiet der „Verwaltung" hinausgehen.

Wenn in der Darstellung zeitlich bis an die Jahrhundertwende zurückgegriffen wurde, so einmal deshalb, um die Entwicklung mit allen Erfahrungen im größeren Rahmen zu schildern, ermöglicht durch das Vorhandensein genügender gedruckter Unterlagen. Andererseits mußte ich mich bei der Schilderung des zweiten Weltkrieges infolge fast völligen Fehlens dokumentarischen Materials auf eigene, z. T. private Aufzeichnungen beschränken.

Ich danke allen, die mir mit Rat und Tat behilflich waren. Kritik und Hinweise werde ich besonders begrüßen.

Koblenz, September 1961.

P. W. Zieb

EINLEITUNG

Das Wort „Nachschub“ war seit jeher im militärischen Bereich ein üblicher Begriff. Die Truppe, der Frontoffizier, meinte damit, daß etwas zur Bedarfsstelle herantransportiert werden sollte. „Nachschub“ beinhaltete daher zunächst die Durchführung von Transporten. Nachgeschoben wurden im wesentlichen materielle Dinge: Munition, Waffen, Verpflegung, ärztliche Hilfsmittel, Bekleidung, Betriebsstoffe usw. Auch vom Nachschub frischer Truppen wurde gesprochen. Bei dieser Verwendung des Wortes „Nachschub“ wurde stillschweigend unterstellt, daß das Geforderte vorhanden war.

Auf höherer Ebene verstand man unter „Nachschub“ die vorsorgliche Fertigung und Bereitstellung der von der Truppe benötigten materiellen Dinge durch die zuständigen Verwaltungen. Hierbei handelten die Verwaltungen teils nach vorliegenden Erfahrungen, teils erhielten sie Weisungen oder Befehle von höchsten militärischen Stellen.

Das Wort „Nachschub“ war daher mehrdeutig. In dieser Mehrdeutigkeit wurde es bis Ende des 2. Weltkrieges in Deutschland verwendet. Der französische General Jomini gebrauchte in seiner Schrift „Traité de l'Art de la Guerre“ 1830 für Nachschubfragen die Bezeichnung „Logistik“, die jedoch bald wieder verschwand. Es kann dahingestellt bleiben, ob „Logistik“ auf die griechische Wurzel „logos“ oder auf das französische Verb „loger“ zurückzuführen ist. Vieles spricht für die letztere Herleitung, z. B. die deutsche Bezeichnung „Quartiermeister“, im französischen Sprachgebrauch „nom du Major Général des Logis“ mit den dazugehörigen logistischen Aufgaben. 1917 schrieb der U.S.A. Oberst Georges Cyrus Thorpe eine Abhandlung unter dem Titel „Pure Logistics — The Science of War Preparation“, jedoch ohne nachhaltigen Erfolg. Dreißig Jahre später — nach dem 2. Weltkriege — beurteilte man in den U.S.A. die Schrift Thorpe's als wertvoll und meinte, es hätten Milliarden Dollars gespart werden können, wenn man dieser Ausarbeitung rechtzeitig Beachtung geschenkt hätte. Immerhin wurde das Wort „Logistik“ in der U.S.A.-Marine während des 1. Weltkrieges, später auch von der U.S.A.-Armee, gelegentlich gebraucht. Erst im 2. Weltkrieg fand es in den U.S.A. eine weitere Verbreitung, immer noch neben der herkömmlichen Bezeichnung Administration — Verwaltung. Auch England und Frankreich haben im 2. Weltkriege neben Logistik weiter das Wort „Verwaltung“ gebraucht.

Es könnte danach scheinen, daß das Wort „Logistik“ lediglich das Wort „Nachschub“ ersetzt hat. Das ist nicht zutreffend. Der moderne Krieg, der sich immer mehr zum absoluten Krieg entwickelt, sowie die fortschreitende Technisierung nicht nur der Waffen, sondern der gesamten Kriegführung, hat dem Wort „Nachschub“ einen Sinn und eine Auslegung gegeben, die in ihrer erst im 1. Weltkriege sichtbar gewordenen Komplexität vorher nicht oder nicht vollständig erkannt wurde.

Wir wollen die Ursachen und die Zwangsläufigkeit der Entwicklung des Wortes „Nachschub“ zu seiner heutigen Sinngebung aufzeigen. Hierzu sollen zunächst in Kürze einige Beispiele von Nachschub bei Landtruppen und Kriegsmarinen anderer Länder und dann in der Hauptsache Beispiele der deutschen Kriegsmarine seit 1900 geschildert werden. Es würde jedoch den Rahmen dieses Buches weit übersteigen, die Logistik der Kriegsmarine schlechthin darlegen zu wollen. Wenn wir zunächst unter „Logistik“ etwa alles zusammenfassen, was nicht Strategie und Taktik ist, so würde solche Darstellung der Logistik der Marine bei dieser selbst nicht haltmachen können. Wir denken dabei z. B. an den Entwurf und den Bau von Kriegsschiffen, an die dazugehörigen Walzprogramme der Walzwerke mit allen hierdurch bedingten Verflechtungen und vieles Andere mehr. Wir werden uns deshalb auf einige interessante logistische bzw. Nachschubmaßnahmen beschränken.

1. Kapitel

Nachschub für Landtruppen und fremde Seemächte

A. Bedeutung des Nachschubs für Landtruppen

Die Reiterheere Dschingis-Chan's waren frei von jedem Nachschub, es sei denn, dem Nachschub an frischen Truppen. Die Wurzeln dieser Unabhängigkeit vom Nachschub lagen in der Anspruchslosigkeit und Härte der Reiter und ihrer Pferde, die sie befähigten, größere Entfernungen bis zur nächsten Möglichkeit einer Verproviantierung schneller zu überwinden, als dies Fußtruppen möglich war. Durch die Unabhängigkeit von Nachschub besaßen diese Heere eine so vollkommene operative Freiheit, wie sie von späteren Landtruppen nicht wieder erreicht worden ist.

Wie alle Eroberer entnahmen die Heere Alexanders des Großen, Cäsars, Hannibals, Suleimans, der Kreuzfahrer, Gustav Adolfs — um nur einige Beispiele zu nennen — ihre Kriegsbedürfnisse aus den eroberten Ländern, nötigenfalls bis zur völligen Ausbeutung der unterworfenen Völker. Die trotz dieser Maßnahmen geringere operative Freiheit — verglichen mit den Heeren Dschingis-Chans — resultiert aus der hauptsächlichen Verwendung von Fußtruppen.

Je mehr wir uns der Neuzeit nähern, um so mehr wurde die Truppe vom Nachschub abhängig. Das hing u. a. mit der Einführung der Feuerwaffen, dem dadurch bedingten Nachschub von Munition, der Einführung einer einheitlichen Bekleidung, dem Operieren größerer Truppenmassen auf einem engeren Raum zusammen, der die Zwangseintreibung der Verpflegung nicht immer gestattete und zu Verpflegungstransporten zwang.

Aus diesen Notwendigkeiten entstand im Laufe des 18. Jahrhunderts der Train. Er bestand zunächst aus zivilen, pferdebespannten Fuhrkolonnen, denen ggf. Begleittruppen zum Schutz gegen Überfälle des Gegners mitgegeben waren. Friedrich der Große plante seinen Angriff auf Hochkirch für den 14.—15. 10. 1758, da er den im Anrollen befindlichen Nachschub an Lebensmitteln und anderen Kriegsbedürfnissen abwarten wollte. Laudon griff diese Nachschubkolonnen an, wurde jedoch von Marschall

Keith, der den Nachschub sicherte, abgewiesen. Der Schutz dieses Nachschubs durch einen Feldmarschall und seine Truppen beweist in besonderem Maße die Bedeutung, die Friedrich der Große dem Nachschub für die Schlagkraft seiner Truppen beimaß.

Die Abhängigkeit der Truppen Friedrichs des Großen von dem Nachschub geht auch aus der Ansprache an seine Generale am 3. 12. 1757 vor der Schlacht bei Leuthen hervor: „. . . alle meine Kriegsbedürfnisse sind verloren gegangen und meine Schwierigkeiten würden dadurch auf das Höchste gestiegen sein, setzte ich nicht mein Vertrauen auf Ihren Mut und Ihre Standhaftigkeit, die Sie bei so vielen Gelegenheiten bewiesen haben . . ."

Napoleons stete Sorge um ausreichenden Nachschub ist bekannt. In seinen Briefen an den französischen Convent aus den Feldzügen in Norditalien und gegen Österreich forderte er ständig Nachschub an Waffen, Munition und an frischen Truppen. Er machte in diesen Schreiben seine weiteren Maßnahmen gegen den Feind von der rechtzeitigen Lieferung des geforderten Nachschubs abhängig und verfuhr auch entsprechend, wenn auch politische Gesichtspunkte gelegentlich sein Zögern mitbestimmt haben. Dieser große Feldherr scheiterte in dem Feldzuge gegen Rußland an dem Nachschub. Der Mangel an Verpflegung, an Futter für die Pferde, an geeigneter Bekleidung, an Unterkunftsmöglichkeiten führten zu der großen Katastrophe dieses Krieges. In diesem Feldzug befehligte Graf York das preußische Hilfskorps. Am 30. 12. 1812 schloß er mit dem russischen General Diebitsch die Konvention von Tauroggen, durch die seine Truppe neutralisiert wurde. Er begründete sein Vorgehen u. a. mit dem Mangel an Nachschub für seine Soldaten und Pferde.

Mitte des 19. Jahrhunderts wurde in Preußen der Train als Nachschubtruppe geschaffen. Er bestand seine Bewährungsprobe im Kriege gegen Österreich 1866. Im deutsch-französischen Kriege 1870/71 spielte bereits die Eisenbahn für den Nachschub eine entscheidende Rolle. Diese Aufgaben wurden im Generalstab „Feldeisenbahnwesen" zusammengefaßt. Dem Train oblag die Zuführung von den jeweiligen Ausladestationen der Bahn zur Truppe.

Auch der russisch-japanische Landkrieg 1904/05 wurde wesentlich durch den Nachschub beeinflußt. Der für Rußland ungünstige Ausgang wurde von dem späteren General Ludendorff auf Grund der ungenügenden Leistungsfähigkeit der transsibirischen Eisenbahn vorausgesagt. Andererseits konnte Japan den erforderlichen Nachschub nach Korea infolge der sehr viel kürzeren Nachschubwege und der größeren Leistungsfähigkeit der Schiffstransporte leicht bewältigen. In diesem Kriege zeigten sich in besonderem Maße die großen Möglichkeiten des Nachschubs durch Schiffstransporte.

Die heroischen Leistungen des deutschen Heeres im 1. Weltkriege wurden in entscheidender Weise von Kriegsbeginn an durch Nachschubprobleme im Sinne des heutigen Begriffs „Logistik" überlagert. Die Gegner Deutschlands führten den Krieg antilogistisch, d, h. sie verhinderten mit fast vollkommenem Erfolg Überseezufuhren nach Deutschland durch die Blockade. Deutsche Truppen besetzten Serbien, nicht zuletzt wegen des dort vorhandenen Kupfers, Rumänien und die Ukraine wegen des Öls und des Getreides, um nur die wichtigsten Beispiele in logistischer Hinsicht zu nennen. Die enge Verbindung mit der Türkei entstand vor dem Kriege aus dem Vorhaben der Bagdad-Bahn, aber sie hatte auch logistische Gründe: das türkische Manganerz war für Deutschland unentbehrlich.

Antilogistische Maßnahmen der damaligen Gegner führten im Laufe des Krieges in steigendem Maße zu wirtschaftlichen Engpässen, die schließlich den Zusammenbruch Deutschlands herbeiführten.

Im 1. Weltkrieg verfügte jedes deutsche Armeekorps über eine Train-Abteilung zu je vier Eskadronen. In diese Zeit fällt die zunehmende Verwendung des Motors — Trecker und Lastkraftwagen — für Transportzwecke. Jedoch waren diesen Maßnahmen durch die Knappheit an Brennstoff und Gummi enge Grenzen gezogen. Auch die Bespannung für Fuhrkolonnen bereitete durch unzureichende Haferrationen, durch Kampfverluste und Pferdekrankheiten ernste Sorgen.

Der 1. Weltkrieg führte durch die großen Leistungen und die erheblichen Verluste des Trains zu einer gerechteren Einschätzung dieser Truppe, als sie vor dem Kriege bestand. An der Aufgabenstellung des Trains als einer reinen Transportorganisation änderte sich nach dem 1. Weltkriege nichts. In der Reichswehr hatte jede Division eine Fahr-Abteilung zu je vier Schwadronen.

Wir können diese kurze Betrachtung von Nachschubfragen dahin zusammenfassen, daß

1. ursprünglich kein Nachschub erforderlich war,
2. später zivile Nachschubkolonnen wachsender Größe notwendig wurden,
3. schließlich Nachschubtruppen — Train — zur Bewältigung der Transportaufgaben geschaffen werden mußten,
4. die schnell zunehmende Bedeutung der Eisenbahn für Nachschubzwecke zur Bearbeitung im Generalstab führte,
5. Nachschub auf höherer Ebene den Ablauf eines Krieges entscheidend beeinflussen kann.

B. Nachschub bei Unternehmungen fremder Mächte auf See

1. Unabhängigkeit der Segelschiffe

Wilhelm der Eroberer, Herzog der Normandie, setzte mit seinen Kriegern auf etwa 2—3000 kleinen Schiffen nach England über. Nachschub im heutigen Sinne war kaum erforderlich. Für die Überfahrt mußten genügend Lebensmittel und Trinkwasser vorhanden sein, und für die erwarteten Kämpfe, die zu der Schlacht bei Hastings führten, mußte eine gewisse Reserve an dem einfachen Kriegsgerät der damaligen Zeit mitgenommen werden. Danach lebte die Truppe aus dem Lande.

Eine ähnliche operative Freiheit wie die Reiterheere Dschingis-Chan's hatten die großen Entdecker mit ihren Segelschiffen: Christoph Columbus, der in vier Reisen im spanischen Auftrage Mittel- und Südamerika entdeckte, oder der portugiesische Entdecker Vasco da Gama, der 1497 den Seeweg nach Ostindien fand, oder der Engländer James Cook, der durch seine Fahrten den Stillen Ozean erforschte. Diese Entdecker waren mit ihren Schiffen monate- bzw. jahrelang unterwegs. Was ihre operative Freiheit begrenzte, waren vor allem die Vorräte an Trinkwasser und die Gesundheit ihrer Besatzungen. Trinkwasser konnten diese Schiffe weder an Bord herstellen, noch konnte es gegen Fäulnis geschützt werden. Durch Mangel an Vitaminen trat unter diesen Besatzungen stets Skorbut auf mit oft tödlichem Ausgang. England ordnete daher im 18. Jahrhundert an, daß jedes Schiff eine ausreichende Zahl von Zitronen bei sich zu führen habe; eine bedeutsame Maßnahme gegen Skorbut und dadurch für die Erweiterung der operativen Freiheit. Die Schiffe waren zwar bewaffnet, jedoch keine Kriegsschiffe. Wir erwähnen sie, weil der Aktionsradius der späteren Segelkriegsschiffe ebenfalls in erster Linie durch die Trinkwasservorräte begrenzt war, und weil Skorbut noch im 1. Weltkriege die Einsatzfähigkeit deutscher Hilfskreuzer beeinträchtigte.

Wir wenden uns nun dem Nachschub von Kriegsschiffen zu. In der Seeschlacht im Hafen der flandrischen Stadt Sluis am 24. 6. 1340 wurden wohl zum ersten Male Kanonen an Bord von Schiffen verwendet, meist in Bug- und Heckaufstellung. Etwa 190 französische Schiffe kämpften gegen die englische Flotte Eduards III. Nach dieser Schlacht trat erstmalig die Notwendigkeit eines Nachschubs von Munition für Kriegsschiffe in Erscheinung. England erkämpfte sich in diesen Jahren Stützpunkte auf dem Kontinent. 1346 belagerte es Calais mit einer Blockadeflotte von 120 Schiffen. Einige Monate hindurch konnte Calais durch französische Blockadebrecher versorgt werden. Am 4. 8. 1347 erlag die Festung durch Mangel an Nachschub, und der Befehlshaber, Johann v. Vienne, übergab sie an Eduard III. Den Grad der Nachschubschwierigkeiten Calais' kann man daran ermessen, daß mehr als ein Drittel der Belagerten nach Übergabe der Stadt infolge zu gieriger Nahrungsaufnahme starb.

Eine ähnliche Geschützaufstellung wie in der Schlacht von Sluis wurde noch mehr als 200 Jahre später in der Seeschlacht von Lepanto am 7. 10. 1571 verwendet. Die Schiffe wurden teils gerudert, teils durch Segel angetrieben. Das Entern des gegnerischen Schiffes was das Ziel. Der Landsoldat kämpfte an Bord mit dem Enterbeil um die Inbesitznahme des feindlichen Schiffes. In dieser Schlacht zwischen der osmanischen und den vereinigten christlichen Flotten Philipp II. und Venedigs führte letztere neben 6 Galeassen und 204 Galeeren — den damaligen Kriegsschiffen — mehr als 100 Troßschiffe bei sich. Aus dieser Zahl ergibt sich der gewaltige Umfang des Nachschubs, der sich aus Munition, Lebensmitteln, sonstigen Kriegsbedürfnissen sowie aus deutschen und spanischen Landsknechten zusammensetzte.

In den dieser Schlacht folgenden Jahrzehnten nahm die Zahl

der Kanonen auf den Kriegsschiffen schnell zu; sie wurden in Batterien zusammengefaßt. Der Antrieb durch Rudern verschwand, und die Takelagen wurden vergrößert. Am Ende des 17. Jahrhunderts hatten die größten Kriegsschiffe 80—100 Kanonen, die in 2—3 Decks übereinander aufgestellt wurden. Sie schossen in erster Linie nicht mehr über Bug und Heck, sondern nach der Seite; daraus entwickelte sich die Linientaktik. Im Laufe dieser technischen Entwicklung wurde es schwierig, Handelsschiffe im Bedarfsfalle zu Kriegsschiffen herzurichten, wie es bisher geschehen war. So entstand für die seefahrenden Nationen die Notwendigkeit, Kriegsschiffe zu besitzen, die ausschließlich für diesen Zweck bestimmt waren. Aus dieser Notwendigkeit heraus erwuchs das Nachschubwesen, die Logistik der Marinen. Solche Schiffe erforderten spezialisierte Konstrukteure, spezialisierte Offiziere und Mannschaften. Man schuf Marine-Arsenale, Marinewerften zum Bau, zur Versorgung, zur Reparatur der Schiffe. In Friedenszeiten wurde ein Teil der Schiffe stillgelegt, um Kosten zu sparen, und den Arsenalen wurde die Betreuung dieser Schiffe übertragen. Man erkennt, daß die Logistik einer Kriegsmarine der Segelschiffszeit bereits einen außerordentlichen Aufwand in personeller und materieller Hinsicht erforderte, und daß die sich daraus entwickelnde Organisation zwangsläufig eine Dauereinrichtung für den Frieden wie für den Krieg wurde. Im 17. Jahrhundert wurden die logistischen Anforderungen dadurch wesentlich vergrößert, daß sich die Seekriege im Zeichen der kolonialen französisch-englischen Rivalität in weitab von der Heimat gelegenen Seegebieten abspielten. Als die ersten kolonialen Basen entstanden, wurden auch dort Nachschublager und Marinearsenale zur schnelleren Versorgung der Seestreitkräfte geschaffen.

Ein Beispiel für die Bedeutung des Nachschubs wie für antilogistische Maßnahmen ist die Belagerung von Tarragona im Jahre 1640. Der Erzbischof Sourdis von Bordeaux und Chef der französischen Flotte du Levant blockierte mit seinen Schiffen Tarragona, während es auf der Landseite von den Truppen des Marschalls Mothe-Houdantcourt eingeschlossen wurde. Durch die Abschnürung des Nachschubs stand Tarragona schließlich kurz vor der Übergabe, als es einem starken spanischen Convoi gelang, die französische Flotte zu täuschen und die Stadt mit Kriegsbedürfnissen und Proviant zu versorgen. Da bis zur nochmaligen Erschöpfung der Vorräte von Tarragona eine zu lange Zeit erforderlich gewesen wäre, wurde die Belagerung aufgehoben. Richelieu erkannte aus den gewonnenen Erfahrungen den Wert einer Nachschuborganisation und ordnete zu diesem Zweck die Schaffung der Kriegsmarinearsenale in Le Havre, Brest, Brouage und Toulon an.

Die großen spanischen, holländischen, französischen und englischen Kriegsflotten der Segelschiffszeit führten alles bei sich, was für großzügige operative Maßnahmen erforderlich war, selbst Ersatzmasten; diese Flotten waren fast autark. Wir denken z. B. an die „Felicissima Armada" Philipps II., die Ende Juli 1588 in mehrtägiger Schlacht durch den Engländer Drake zerschlagen wurde, oder an Nelson, der die französische Flotte bei Abukir schlug und dadurch die französische Armee in Ägypten von dem erforderlichen Nachschub abschnitt und diesen Feldzug zum Scheitern verurteilte. 1805 fiel Nelson in der Schlacht bei Trafalgar. Kurz vor dieser Schlacht waren die Trinkwasservorräte auf der Linienschiffsdivision des englischen Konteradmirals Thomas Louis erschöpft. Nelson kannte die disziplinaren Auswirkungen eines Mangels an Trinkwasser und detachierte die Division nach Gibraltar zur Trinkwasserergänzung. Im Vorgefühl der bevorstehenden Schlacht weigerte sich Th. Louis jedoch, diesen Befehl auszuführen. An der Schlacht nahmen von französisch-spanischer Seite 33 Linienschiffe, 5 Fregatten und 2 Brigantinen teil, von englischer Seite nur 27 Linienschiffe, 1 Schoner und 1 Kutter. Hätte Th. Louis den Befehl Nelsons zur Ergänzung des Trinkwassers befolgt, so wäre etwa ein Viertel der englischen Flotte für diese Schlacht ausgefallen. Die Weltgeschichte hätte dann wahrscheinlich einen anderen Verlauf genommen.

1806 verhängte Napoleon gegen England die Kontinentalsperre, die den europäischen Ländern den Handel mit England verbot. Wenn sich auch die Kontinentalsperre vor allem gegen den englischen Handel wendete, so kann sie doch in gewissem Sinne als antilogistische Maßnahme verstanden werden.

Am 3. 8. 1807 ankerte zur Abwehr dieser Ziele eine englische Flotte unter dem Befehl des Admirals Gambier vor Helsingör, bestehend aus 25 Linienschiffen, 40 Fregatten und 380 Transportschiffen mit 29 000 Mann Landungstruppen sowie Material und

Vorräten für eine längere Belagerung. Die hohe Zahl der Transportschiffe wurde durch die Zahl der Landungstruppen wesentlich bestimmt, sie zeigt andererseits den Umfang des für erforderlich gehaltenen sonstigen Nachschubs. Kopenhagen kapitulierte am 5. 9. 1807. Die Wegnahme der dänischen Flotte durch England wirkte sich auf die Kontinentalsperre Napoleons naturgemäß nachteilig aus.

2. Einfluß des Dampfantriebs von Schiffen auf den Nachschub

Am 17. 8. 1807 führte Robert Fulton mit dem ersten Dampfschiff der Welt Probefahrten auf dem Hudson aus. Das Schiff hatte eine Länge von 45,7 m und 20 PS. Im Laufe der folgenden Jahrzehnte fand die Dampfmaschine zunächst auf Handelsschiffen, später auf Kriegsschiffen als zusätzliche Antriebskraft zum Segelantrieb bei ungünstigem oder ungenügendem Wind eine zunehmende Verbreitung. Die Vorzüge solcher Schiffe waren für die Reeder entscheidend: größere Sicherheit, kürzere Reisedauer, bessere Innehaltung von Lieferterminen usw.

Bereits 1814 wurde das erste Kriegsschiff mit Dampfantrieb zusätzlich zur Takelage gebaut. 1825 nahm ein solches Kriegsschiff erstmalig an einem Kriege, dem griechischen Befreiungskrieg, teil; am 4. 6. 1849 in dem Seegefecht zwischen der preußischen Kriegsmarine unter Brommy und den dänischen Blockadestreitkräften waren ebensolche Kriegsschiffe beteiligt. Auch die deutsche Reichsflotte erwarb Schiffe mit Segel- und Dampfantrieb. An der Einweihung des Suezkanals am 16. 11. 1869 nahmen das Schraubenkanonenboot „Delphin“ und die gedeckte Korvette „Hertha“ — beide mit zusätzlichem Dampfantrieb ausgerüstet —, ferner „Elisabeth“ und „Arkona“ teil. Auf einigen deutschen Kriegsschiffen, z. B. auf dem Panzerschiff „Friedrich der Große“, wurde die Takelage später entfernt (6770 t, 13,5 kn, Takelage 1890 entfernt).

Aus den Berichten der Kommandanten dieser Schiffe geht hervor, daß sie die Benutzung der Dampfanlage möglichst vermieden und mit besonderem Stolz über lange Seeturns unter ausschließlicher

Benutzung der Segel berichteten. Das ist aus der damaligen Einstellung durchaus verständlich. Der Erprobung und Entwicklung brauchbarer Dampfmaschinen durch deutsche Firmen diente dies allerdings nicht. Dies mag mit dazu beigetragen haben, daß Maschinenanlagen für preußische Kriegsschiffe bis in die 60er Jahre des vorigen Jahrhunderts von englischen Firmen bezogen wurden.

Im Krimkriege 1854/55 wurden zahlreiche Schiffe mit Dampf- und Segelantrieb eingesetzt. Die verbündeten Flotten überführten insgesamt fast eine halbe Million Franzosen, Engländer, Türken und Piemontesen, ferner die gesamte Artillerie, die Munition, Verpflegung, Sanitätsmaterial usw. auf solchen Schiffen. Das ist eine außerordentliche Nachschubleistung für die damalige Zeit, sie war nur durch Schiffstransporte der genannten Art zu bewältigen.

Im Sezessionskriege 1861—65 spielten mit Segel und Dampf angetriebene Schiffe ebenfalls eine erhebliche Rolle. Die Südstaaten verloren den Krieg mangels eines eigenen ausreichenden Industriepotentials und infolge ungenügenden Nachschubs von Waffen usw. über See aus Europa durch antilogistische, blockadeartige Maßnahmen des Gegners. Sie bestellten daher Schiffe mit Segel und Dampfantrieb bei europäischen Werften. Eines dieser Schiffe wurde auf der Armandwerft in Bordeaux gebaut. Da es während des Krieges nicht fertiggestellt werden konnte, kam es zum Verkauf; es wurde die preußische Glattdeckskorvette „Augusta“ (1852 t, 13,5 kn).

Mit der Einführung der Dampfmaschine auf Kriegsschiffen und der schließlich völligen Verdrängung des Windantriebes wurde die operative Verwendungsmöglichkeit dieser Schiffe eine Funktion der Maschine: ihrer Zuverlässigkeit in personeller und technischer Hinsicht, des Kohlenvorrats und des Nachschubs an Betriebsstoffen. Die Vereinigten Staaten von Amerika zogen als erste die Schlußfolgerung aus dieser Entwicklung und vereinigten das Offizierskorps, welches für die Maschinen verantwortlich war, 1898 mit dem übrigen Offizierskorps der Kriegsmarine.

3. Der russisch-japanische Seekrieg

Die Abhängigkeit solcher Flotten vom Nachschub zeigte sich in besonderem Maße in den Seekriegen um die Jahrhundertwende. Den russischen Seestreitkräften folgte auf dem Wege von Libau nach Tsushima außer den russischen Troßschiffen eine ganze Flotte von Nachschubschiffen vieler Nationen. In Cardiff nahmen im Oktober 1904 Kohlen für die russische Flotte: 36 deutsche und 13 englische Dampfer sowie einige Dampfer anderer Nationen. Die Kohlenergänzung erfolgte in geschützten Buchten — z. B. in der Aalbekbucht bei Skagen —, dann in französischen Häfen und schließlich in den Häfen der französischen Kolonien. Die zeitliche und mengenmäßige Begrenzung der Nachschubergänzung in spanischen Häfen brachte die russische Flotte zwar nicht in Schwierigkeiten, aber sie zeigte dem russischen Flottenchef erstmalig in der Praxis eine der zahlreichen Abhängigkeiten vom Nachschub. Die häufige und z. T. langandauernde Benutzung französischer Häfen durch die russische Flotte wurde von der Presse einiger Länder scharf verurteilt. England verweigerte daher dem Dampfer „Kapitän W. Mensch“ im November 1904 die Übernahme von Kohlen, weil er „durch seine bisherigen Fahrten bewiesen habe, daß er der russischen Flotte folge.“ Andererseits lieferten nordamerikanische Firmen Konterbande jeder Art an beide Parteien. Für den russischen Flottenchef Roschestwenski ergab sich oftmals die Ungewißheit, ob seine Schiffe rechtzeitig einen schützenden Hafen zur Kohlenergänzung würden erreichen können. Er ordnete daher die Ausnützung jeden Raumes auf den Kriegsschiffen zur Lagerung von Kohlen an. Besonders während der letzten Kohlenergänzung vor der Schlacht bei Tsushima wurden selbst die Kajüten der Kommandanten mit Kohlen gefüllt, um einen ausreichenden Aktionsradius zur Erreichung von Wladiwostok zu erhalten. Als Folge dieser Überladung ergab sich ein erhöhter Tiefgang der Schiffe, so daß die Gürtelpanzer unter die Wasserlinie kamen und die Sprenggranaten der Japaner vernichtende Wirkung erzielten. Der größere Tiefgang setzte zudem die Höchstgeschwindigkeit herab. Das Zuviel an Nachschub-Kohlen mit den sich daraus ergebenden Folgen trug wesentlich zu der Vernichtung der russischen Flotte in der Seeschlacht bei Tsushima am 27. 5. 1905 bei.

4. Der italienisch-abessinische Krieg

Zwischen beiden Weltkriegen entstand eine der größten Nachschuborganisationen fremder Mächte aus Anlaß des italienisch-abessinischen Krieges.

Auf italienischer Seite unterstanden die Nachschubangelegenheiten zunächst dem Kolonialministerium, das sich den Forderungen jedoch nicht ganz gewachsen erwies. Infolgedessen übernahm im Mai 1935 die Kriegsmarine folgende logistische Aufgaben:

1.) Bereitstellung der nötigen Transportmittel.
2.) Vorbereitung, Durchführung, Ausschiffung bzw. Ausladung der Transporte.
3.) Nachrichtenübermittlung.
4.) Unterbringung, Versorgung und Rückführung der Kranken und Verwundeten.

Die Marine ordnete zunächst einen Mobilmachungsplan für die italienischen Werften an. Innerhalb eines Jahres wurden 93 Handelsschiffe gechartert und serienmäßig ausgerüstet bzw. umgebaut, insgesamt etwa 725 000 BRT für Truppen- und Nachschubtransporte, ferner 34 weitere Schiffe für die Luftwaffe und 27 Schiffe für den Nachschub von Munition und speziellen Kriegsbedürfnissen.

Durch diese Schiffe und zahlreiche weitere, von Reedereien und Lieferfirmen gestellten Schiffe, wurden in der Zeit von Februar 1935 bis Februar 1936 etwa 300 000 Mann, 30 000 Tiere, 6 500 Kraftfahrzeuge und andere Verkehrsmittel sowie 3 Millionen Tonnen Nachschubmaterial nach Abessinien verschifft. Ein schwieriger Engpaß dieser Nachschubmaßnahmen war die Entladung der Schiffe im Hafen von Massaua, dessen Einrichtungen für einen solchen Andrang von Schiffen in keiner Weise ausreichten. Im Mai 1935 liefen täglich 18 Schiffe Massaua an, im September des gleichen Jahres waren es 50 Schiffe täglich. Der Marine gelang es, die Aufenthaltsdauer der Truppentransporter zur Ausschiffung der Truppen in Massaua auf 1—2 Tage, die der Frachtschiffe zur Entladung der Nachschubgüter auf etwa 7 Tage herunterzudrücken. Um diese beachtliche Leistung zu erreichen, waren im Laufe des Jahres 1935 folgende Fahrzeuge nach Massaua bzw. Assab gebracht worden: 134 in Italien gebaute große Ausschiffungsflöße, 8 Schlepper,

57 Motorboote, 3 Schwimmkräne, 1 schwimmende elektrische Kraftstation und 48 Prähme. Ferner gingen 64 weitere Nachschubschiffe nach den italienischen Häfen in Somaliland. In Massaua und Assab wurden außerdem 8 Fahrzeuge für die Versorgung mit Trinkwasser sowie mehrere Öl- und Kohlenversorgungsschiffe stationiert.

Der Marine standen Anfang 1935 in Abessinien 34 FT-Stationen zur Verfügung, im Dezember 1935 waren es 50 und 2 Radio-Telefonanlagen, von denen ein Teil mit hohen Funkmasten an Land installiert worden war.

Außer 2 veralteten Lazarettschiffen wurden 8 italienische Fahrgastschiffe mit zusammen 74 000 t und etwa 6 000 Betten zu dem gleichen Zweck umgebaut. Ferner erstellte die Marine 10 Krankenstationen an Land.

Die italienische Kriegsmarine wurde überraschend vor die Notwendigkeit gestellt, diese schwierige und sehr umfangreiche Nachschubaufgabe im Hinblick auf die entstandene militärische Lage schnell zu lösen. Sie hat dies mit anerkennenswertem Erfolg getan. Die genannten Zahlen zeigen die Größe der italienischen Nachschuborganisation für diesen Feldzug.

Die zahlreichen Versuche und Ansätze zu antilogistischen Maßnahmen der Mächte, die den abessinischen Feldzug verurteilten, blieben ohne wesentliche Wirkung, da keine geschlossene Front gegen Italien erreicht wurde, und sie sich zu entscheidenden Maßnahmen nicht durchringen konnten.

5. Logistik der USA-Kriegsmarine im 2. Weltkriege:

Die weitaus größte zentral gesteuerte Nachschuborganisation der Weltgeschichte entstand im 2. Weltkrieg in den USA. Zahlreiche Bücher und Abhandlungen in Fachzeitschriften sind über die theoretischen Grundlagen dieser Logistik und ihre praktische Handhabung geschrieben worden. Wir können uns hier auf das beschränken, was Vizeadmiral Ruge in seinem Buch „Der Seekrieg 1939—1945" hierüber schreibt:

„Bereits die Operation gegen Guadalkanal zeigte, daß es dringend notwendig war, strategisches, operatives und Nachschubplanen aufeinander abzustimmen. Man war sich klar darüber, daß die im Laufe der Zeit entstandene traditionsgebundene Organisation der Marine hierfür nicht besonders gut geeignet war. Echt amerikanisch übertrug man einer zivilen Rationalisierungsfirma die Aufgabe, die oberste Organisation der Marine zu überprüfen und Vorschläge zu machen, wie man sie verbessern könnte. Sie tat dies mit beträchtlichem Erfolg, wobei besonders bemerkenswert ist, daß sie sich gegen das Zusammenlegen von strategischem und Nachschubplanen in einem Stab aussprach. Der Nachschubplanungsstab funktionierte am besten, wenn er zwischen der Produktion in der Heimat, den Strategen und dem Einsatz und Verbrauch an der Front stand und von allen drei Seiten laufend und ausreichend unterrichtet wurde.

Man teilte die Bodenorganisation der US-Streitkräfte in drei Typen von Stützpunkten und etwa 250 Komponenten auf, wie z. B. eine Schiffsreparatur- oder Flugzeugreparaturstelle, eine Sägemühle, Malariabekämpfungsstation oder Sauerstofferzeugungsanlagen, alles mit gesamter Ausrüstung und vollem Personal. Die dazugehörigen Einzelteile waren so genau katalogisiert, wie es bei den großen Postbestellungsfirmen geschieht. Die Angaben über die auf Vorrat gehaltenen verschiedenen Arten von Einzelteilen schwankten zwischen $1^1/_2$ und $2^2/_3$ Millionen. Der Katalog umfaßte 479 Bände und wog 110 kg. Komponenten und Einzelteile konnten durch kurze Stichwörter telegrafisch abberufen werden. Man setzte sie nach Bedarf zu Stützpunkten zusammen, je nachdem, ob man ein Nachschublager, eine große Reparaturwerft, einen Flugplatz, ein Ausbildungslager oder eine Kombination davon brauchte. Es wurde sehr darauf geachtet, daß der größte Teil der Einrichtungen leicht wieder abgebaut und an anderer Stelle wieder verwendet werden konnte, damit man in der Lage war, den Kriegsereignissen in zügiger Weise zu folgen.

Dieses Verfahren arbeitete nach anfänglichen Reibungen vorzüglich. Ohne es wäre die schnelle Überwindung des Raumes und das kriegsentscheidende Operieren der Flotten über lange Zeitabschnitte nicht möglich gewesen.

Alle größeren Marinen hatten vor dem Kriege erfolgreiche Versuche mit Ölergänzung in See gemacht. Sie bauten schnelle Tanker, die die Flotte begleiten konnten; Schwierigkeiten mit der Art der

Versorgung traten nicht auf. Flotten, die lange in See bleiben, haben aber noch andere Bedürfnisse in Gestalt von Munition, Verbrauchsstoffen, Menschen und Flugzeugen, und es muß auch möglich sein, umfangreiche Reparaturen fern der Heimat auszuführen. So kam bei den Amerikanern ein immer wachsender Troß aus Munitionsdampfern, Werkstattschiffen, Geleitträgern, Schleppern, Vorratsschiffen usw. Ende 1942 bestand er aus 80 Fahrzeugen, ein Jahr später schon aus 360."

Soweit Ruge. Erwähnt seien noch die schnell verlegbaren Pipelines für den Nachschub großer Mengen Benzin, wie sie von den Streitkräften der USA quer durch Frankreich nach der Invasion mit bestem Erfolg zur Anwendung kamen; eine wichtige Nachschubmaßnahme, die mit modernen technischen Mitteln durchgeführt wurde. Der Nutzen dieser logistischen Maßnahmen liegt in der Entlastung der Eisenbahn, der Einsparung von tausenden von Eisenbahnkesselwagen und der Verringerung der Brandwirkung bei Fliegerangriffen.

Die vorstehenden Ausführungen werden ein Bild von dem Einfluß des Nachschubs auf militärische Operationen auf dem Lande und auf See gegeben haben. Hierbei zeigte sich, daß der Nachschub über See ein Vielfaches von dem zu leisten vermag, was Eisenbahn und Train vermögen.

Die aus einer Fülle von Seekriegen aufgeführten Beispiele zeigen, daß logistische Maßnahmen bei Seekriegen häufiger in Zusammenhang mit antilogistischen Maßnahmen stehen, als dies bei Landkriegen der Fall ist.

Wir wenden uns nun logistischen Maßnahmen der deutschen Kriegsmarine seit der Jahrhundertwende zu.

2. Kapitel

Nachschub-Logistik der Kaiserlichen Marine

A. Der „Boxeraufstand" 1900—1901

Aus der Zeit vor dem 1. Weltkriege sind zwei große Transportaufgaben erwähnenswert, die sich aus den Wirren in China und dem Hereroaufstand 1904/05 ergaben.

Anfang 1900 kamen die schon lange schwelenden Unruhen in China voll zum Ausbruch. Sie sind unter der Bezeichnung „Boxeraufstand" in die Geschichte eingegangen. Die Kriegsschiffe der europäischen Nationen in chinesischen Gewässern entsandten daher eine Schutzwache von insgesamt 340 Mann nach Peking. Im Verlauf der Unruhen wurden die Europäerviertel einiger chinesischer Städte von Boxerbanden, später auch von regulären Truppen eingeschlossen. Am 20. 6. 1900 wurde der deutsche Gesandte, Freiherr v. Ketteler, in Peking ermordet.

Die Befehlshaber der europäischen sowie der USA- und der japanischen Kriegsschiffe stellten nun ein Landungskorps zusammen, das die eingeschlossenen Städte Tientsin und Peking freikämpfen sollte. Der deutsche Geschwaderchef, Vizeadmiral Bendemann, bestimmte Kapitän z. S. v. Usedom zum Chef des deutschen Landungskorps, das von den Großen Kreuzern „Kaiserin Augusta", „Hertha" und „Hansa" sowie von dem Kleinen Kreuzer „Gefion" in Stärke von 23 Offizieren, 489 Mann und 4 Maschinengewehren gestellt wurde. Diese Landungskorps der Kriegsschiffe von 8 Nationen setzten sich unter loser Führung durch den britischen Vizeadmiral Seymour mit der Eisenbahn in Richtung auf Peking in Marsch. Der Chef des Stabes von Admiral Seymour war der spätere Admiral Jellicoe, der Führer der englischen Flotte in der Skagerrakschlacht. Die Eisenbahnzüge wurden von Maschinenpersonal deutscher Kriegsschiffe in Betrieb genommen und gefahren. Durch ständige und nachhaltige Zerstörungen der Geleise, erhebliche Beschädigungen der Eisenbahnbrücken, der Wasserpumpen und der Wasserbehälter für die Lokomotiven, also im wesentlichen durch antilogistische Maßnahmen der Boxer und durch fortgesetzte Kämpfe mit dem Gegner aufgehalten, mußte die Expedition Seymour schließlich umkehren. Mit Hilfe von Verstärkungen gelang es, Tientsin am 23. 6. zu entsetzen, Peking am 15. 8.

Auf Grund der alarmierenden Nachrichten aus China wurden in allen europäischen Ländern umfangreiche Maßnahmen zur Wahrung der Interessen in China getroffen. Damit begann die größte Überseeexpedition von Truppen und Kriegsbedürfnissen, die Deutschland vor dem 1. Weltkrieg durchführte. Am 30. 6. verließ der Große Kreuzer „Fürst Bismarck" Kiel und traf, mit einer Durchschnittsgeschwindigkeit von 14,6 kn laufend, am 13. 8. in Tsingtau ein, gefolgt von einem mobil gemachten „Marine-Expeditionskorps" auf den Schiffen „Frankfurt" und „Wittekind" und mit dem Lazarettschiff „Gera". Das Marine-Expeditionskorps setzte sich aus folgenden Einheiten zusammen: I. und II. Seebataillon, Pioniere, Sanitäter, einer Feldbatterie und einer Feldbäckereikolonne von insgesamt 2526 Offizieren und Mannschaften sowie kriegsmäßigem Pferdebestand und Maultieren unter dem Befehl des Generalmajors v. Hoepfner. Zwei Tage nach dem Eintreffen auf Taku-Reede standen die Truppen marschbereit und wurden sofort nach Tientsin verladen, eine vorzügliche logistische Leistung, angefangen von der Verladung der Truppen und der Kriegsbedürfnisse in der Heimat bis zur Ausschiffung bzw. Entladung auf Taku-Reede. Weitere Verstärkungen folgten: Aus Kiel liefen am 11. 7. die Linienschiffe „Kurfürst Friedrich Wilhelm", „Brandenburg", „Weißenburg" und „Wörth" aus und trafen am 27. 8. in Honkong ein (Durchschnittsgeschwindigkeit 10—11 kn). Die Kanonenboote „Tiger" und „Luchs", die Kleinen Kreuzer „Hela", „Schwalbe", „Bussard", „Geier" und „Seeadler" und die Torpedoboote S 90, S 91 und S 92 trafen zwischen Ende August und Anfang Oktober in chinesischen Häfen ein.

Außer dem Marine-Expeditionskorps wurde zwischen dem 27. 7. und dem 7. 9. von Bremerhaven aus das „Ostasiatische Expeditionskorps" auf 15 Dampfern mit 18 252 Offizieren und Mannschaften sowie 5628 Pferden verladen und traf zwischen dem 6. 9. und 31. 10. auf Taku-Reede ein. 39 weitere Dampfer, die eigentlichen Nachschubschiffe, mit 3120 Stück Vieh, 44000 Eisenbahnschienen und etwa 80000 cbm sonstiger Nachschubgüter (Geschütze, Munition, Proviant, Sanitätsmaterial, Futter usw.) erreichten Taku-Reede zwischen dem 3. 9. und 4. 12. Sämtliche Schiffsbewegungen verliefen rein friedensmäßig; eine Sicherung gegen feindliche Seestreitkräfte entfiel, da sich die chinesischen Seestreitkräfte seit Beginn der Unruhen einer wirksamen Kontrolle durch die europäischen Seestreitkräfte unterworfen hatten. Immerhin ist die Präzision und Schnelligkeit bemerkenswert, mit der diese Dislokationen der deutschen Kriegsschiffe und der Nachschubtransporte durchgeführt wurden.

Die schnelle Beladung der 15 plus 39 Dampfer meist in der Heimat und der Mangel an Erfahrung in Nachschubaufgaben solchen Ausmaßes führten bei der Entladung der Schiffe in China zu erheblichen Schwierigkeiten, über die das Admiralstabswerk „Die Kaiserliche Marine während der Wirren in China 1900—1901“ auszugsweise wie folgt berichtet: Der Befehl zur Ausschiffung des „Ostasiatischen Expeditionskorps“ gelangte erst am 4. 8. an den Geschwaderchef, Vizeadmiral Bendemann, ohne nähere Angaben über eine etwaige Hilfeleistung durch das Geschwader. Beim Geschwader glaubte man, daß das Korps mit den erforderlichen Hilfsmitteln für die Ausschiffung der Truppen, insbesondere mit Prähmen, Pontons und Booten ausgerüstet sei. Auch hatte man keine Nachricht über Abmessungen und Gewichte der eintreffenden Güter. Völlig unangemeldet kamen die 39 Nachschubdampfer mit 100 km Feldbahn, Pferden, lebendem Vieh, Proviant, Futter, Sanitätsmaterial, Baracken usw. an. Diese Schiffe ankerten auf Taku-Reede, ohne daß man wußte, woher sie kamen, was sie enthielten und mit wem die Lieferungskontrakte abgeschlossen waren. Ein vorbedachtes Arbeiten bei der Entladung war daher kaum möglich. Die Ausschiffung der Truppen war 7 Tage nach dem Eintreffen des letzten Transportschiffes am 31. 10. 1900 beendet, dagegen zog sich die Entladung der Nachschubgüter bis zum 7. 12. hin, dem Tage der völligen Vereisung des Pei ho, und konnte erst nach 3monatiger Unterbrechung Anfang März 1901 vom Armee-Oberkommando ohne Mithilfe der Marine wieder aufgenommen werden.

Bei der Ausschiffung der Truppen entstanden dadurch Schwierigkeiten, daß die Truppen nicht feldmarschmäßig ausgerüstet bereitstanden. Verzögerungen traten ein, weil bei der Stauung der Dampfer in der Heimat keine Rücksicht darauf genommen worden war, das notwendigste Truppenhandgepäck bereitzulegen. Die für die Marsch- und Gefechtsbereitschaft der Truppen erforderlichen

Gegenstände lagen vielfach in den Schiffen unter anderen Gütern, öfter sogar auf anderen Schiffen. Transportführer, Kapitäne und Schiffsoffiziere der Dampfer hatten keine genügende Kenntnis von der Stauung ihrer Schiffe, weil sie bei der Beladung nicht hinzugezogen worden waren, ferner, weil die Ladelisten fehlten oder unvollständig waren. So wurden zeitraubende und schwierige Umladearbeiten erforderlich, um an die unbedingt notwendigen Sachen heranzukommen. Die Verpackungsgefäße waren oft zu groß und zu schwer. Es mußten 20000 Kisten von 2 bis 7 Tonnen und von 5 bis 6 Meter Länge ausgeladen werden. Da tragfähige Kräne fehlten, mußten die Kisten an Bord zerlegt werden. Erschwerend kamen die ungünstigen Strom- und Witterungsverhältnisse auf Taku-Reede hinzu, auf der außer den Kriegsschiffen zahlreicher Nationen deren Nachschubdampfer lagen, die ebenfalls entladen werden mußten. Die Dampfer, Boote, Zampans, Dschunken und Prähme, auf die die Kriegsbedürfnisse aus den Nachschubdampfern geladen wurden, hatten bis Tongku etwa 13 sm zurückzulegen, wobei sie eine Barre passieren mußten, die ein Passieren bei Niedrigwasser verhinderte. (Siehe gegenüberstehende Karte.)

Nach Eintritt der Vereisung des Pei ho wurden 42000 Tonnen Nachschubgüter in Tsingtau gelandet, die übrigen Güter entweder an Bord belassen oder teilweise in Shanghai entladen.

Soweit der Bericht des Admiralstabswerkes, der neben den angeführten Fehlern auch die schwierige Zusammenarbeit in den logistischen Dingen zwischen Heer und Marine aufzeigt. Die Einschiffung der Truppen und die Verladung der Kriegsbedürfnisse in Deutschland erfolgte zwar unter der Leitung eines Stabes, der aus Offizieren der Marine, des Heeres und Vertretern der Reedereien gebildet worden war, jedoch fehlte für eine so große Nachschubaufgabe die Erfahrung. Erschwerend kam die befohlene Eile der umfangreichen Verladungen hinzu. Es wäre aber zweifellos möglich gewesen, dem Geschwaderchef rechtzeitig Nachricht über den Umfang der Truppentransporte und Nachschubschiffe sowie Weisungen für die von ihm zu treffenden Vorbereitungen zur Entladung zu geben. Er erhielt die erste Nachricht am 4. 8., und am 3. 9. traf das erste Transportschiff auf Taku-Reede ein.

Die aus fehlender Erfahrung herrührenden Versager hätten bei einem anderen Gegner, als es das China der damaligen Jahre war,

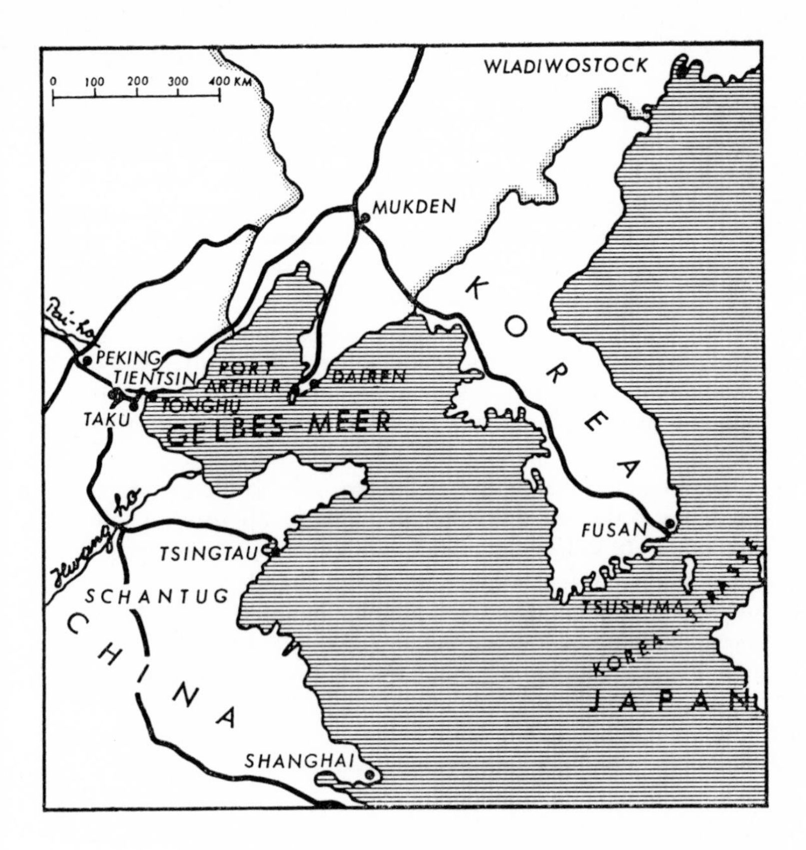

zu schweren Rückschlägen führen müssen. Als das „Ostasiatische Expeditionskorps" in China eintraf, war die Lage bereits durch den Einsatz der Landungskorps der beteiligten Mächte im wesentlichen bereinigt.

Während der Kämpfe um Tientsin und Peking war das zum Landungskorps gehörige Maschinenpersonal der deutschen Kriegsschiffe in der Hauptkampflinie eingesetzt. Ein anderer Teil des Maschinenpersonals hatte sich logistischen Aufgaben zuzuwenden. Infolge der Ansammlung zahlreicher Kriegs- und Handelsschiffe von 8 Nationen auf Taku-Reede, ferner einer noch viel größeren Zahl von Dampfern und Kleinfahrzeugen, die zur Entladung benötigt wurden, entstanden täglich Kollisionen und Beschädigungen an Schiffen und Maschinen. Eine Werft an der Landestelle in Tongku vermochte diese Reparaturen nicht zu bewältigen. Deshalb wurde nicht weit von dieser Werft eine Reparaturstelle vom Maschinenpersonal deutscher Kriegsschiffe eingerichtet. Neben den in großer Zahl anfallenden schiffs- und maschinenbaulichen Reparaturen an den unterschiedlichsten Fahrzeugen wurden hier große Destillierapparate eigener Konstruktion erstellt, um die Truppen mit einwandfreiem Trinkwasser zu versorgen. Solche Geräte wurden auch für Tientsin und Peking gebaut und kamen dort mit Erfolg zur Aufstellung. Das Admiralstabswerk berichtet, daß durch diese Geräte der Gesundheitszustand der Truppen wesentlich gebessert wurde, „insbesondere gingen alle Darmkrankheiten rapide zurück."

Maschinenpersonal deutscher Kriegsschiffe wurde für zahlreiche logistische Aufgaben eingesetzt, es nahm in Tientsin und Peking Kraftwerke in Betrieb, es erstellte Lichtzentralen, reparierte Telefon- und Telegrafenstationen, es stellte Baracken auf, reparierte die Wasserversorgungsanlagen für die Lokomotiven entlang der Eisenbahnlinie nach Peking und die Lokomotiven selbst.

In Tongku wurden mit einer Marine-Reparaturstelle erste Erfahrungen gesammelt.

Im August/September 1901 kehrte des „Ostasiatische Expeditionskorps" von Taku nach Bremerhaven zurück.

B. Der Herero-Aufstand in Deutsch-Südwest-Afrika 1904/05

Die Maßnahmen zur Niederschlagung des Hereroaufstandes waren wesentlich weniger umfangreich als die bei den Unruhen in China. Sie bieten jedoch in logistischer Hinsicht einige interessante Vorgänge im Hinblick auf Notwendigkeiten, die sich in beiden Weltkriegen wieder herausstellten.

Die Unzufriedenheit der Hereros stand im Zusammenhang mit dem Mangel an Weideplätzen für die Viehherden. Daraus entwickelten sich Viehdiebstähle der Hereros, die zu bewaffneten Auseinandersetzungen führten. Zur Verstärkung der Schutztruppe wurde von dem Kanonenboot „Habicht" ein kleines Landungs-

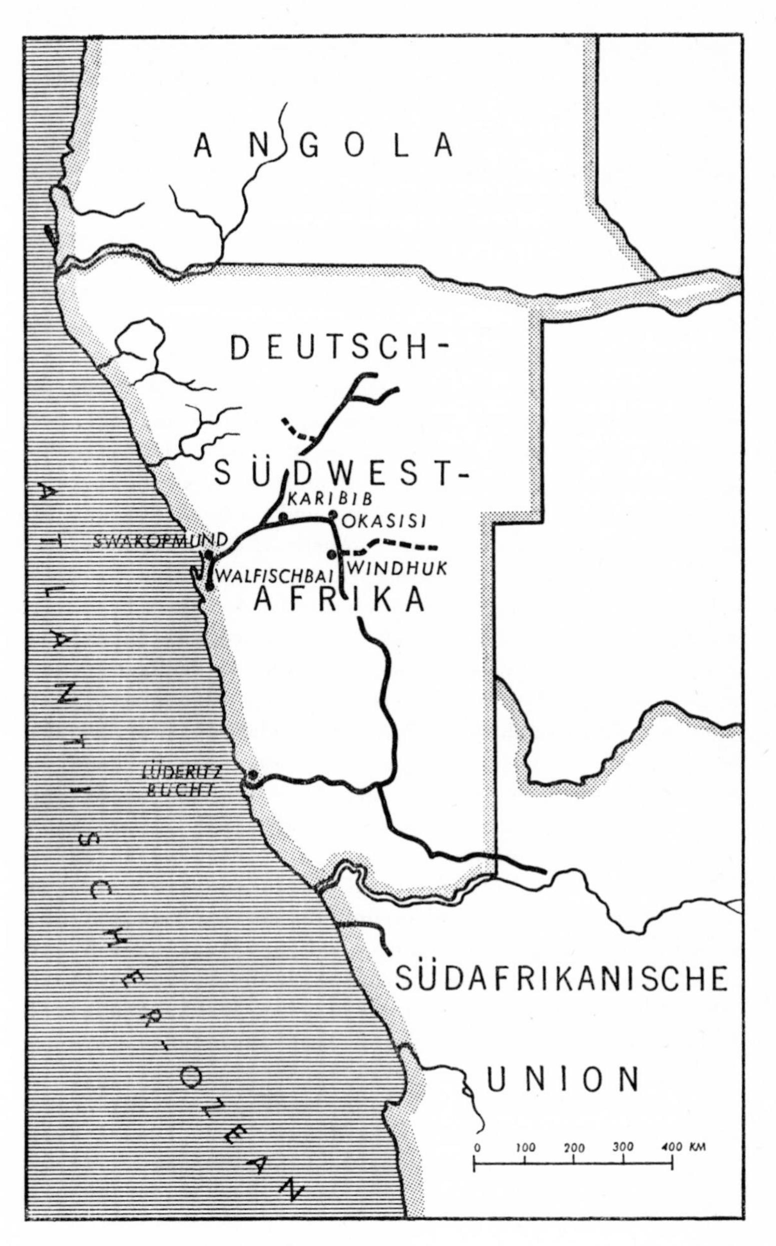
ANGOLA
DEUTSCH-
SÜDWEST-
AFRIKA
KARIBIB
OKASISI
SWAKOPMUND
WALFISCHBAI
WINDHUK
LÜDERITZ
BUCHT
ATLANTISCHER-OZEAN
SÜDAFRIKANISCHE
UNION
0
100
200
300
400 KM

korps ausgeschifft, das die Bewachung der Eisenbahnlinie von Swakopmund in Richtung auf Windhuk bis Karibib übernahm. SMS „Habicht": 845 t, 600 PS, 11,5 kn, Barktakelage.

Dem Landungskorps gelang es, die Bahnlinie bis Karibib gegen Beschädigungen zu schützen, jedoch wurden die Nachschubtransporte auf dieser Strecke wiederholt von Hereros geplündert. Deshalb wurden 19 Unteroffiziere und Mannschaften als „Zugbegleitpersonal" abgeteilt. Beraubungen traten seitdem nicht mehr auf. Damals stellte sich bereits dieselbe Notwendigkeit zum militärischen Schutz von Transporten durch besetzte Gebiete heraus wie später in den beiden Weltkriegen.

Zur Unterstützung der Schutztruppe wurde am 21. 1. 04 ein Marine-Expeditionskorps nach Deutsch-Südwestafrika mit dem Dampfer „Darmstadt" in Marsch gesetzt. Das Schiff erreichte Swakopmund am 9. 2. 04. Außer dem Marine-Expeditionskorps befand sich ein Eisenbahnbaubataillon und ein Ersatztransport für das ausgeschiffte Landungskorps von SMS „Habicht" an Bord.

Beim Eintreffen des Marine-Expeditionskorps waren die Gleisanlagen der Bahn zwischen Karibib und Okasisi stark beschädigt und darüber hinaus bis Windhuk zerstört worden (s. Skizze). An den sonstigen Bahnanlagen waren erhebliche Beschädigungen ausgeführt worden. Die Wiederherstellung der Gleisanlagen übernahm das Eisenbahnbaubataillon, unterstützt von dem Personal der Otawi-Eisenbahngesellschaft. Die beschädigten Lokomotiven wurden vom Maschinenpersonal SMS „Habicht" repariert. Es reparierte ferner Trinkwasseranlagen, Telegrafen- und Telefonanlagen entlang der Eisenbahnlinie.

Unabhängig von dieser Marine-Reparaturwerkstatt wurden in einem „Proviant- und Materialdepot" die mit den Nachschubschiffen eintreffenden Kriegsbedürfnisse gelagert. Das aus den Kriegsnotwendigkeiten entstandene Depot sowie die Marine-Reparaturwerkstatt können als Vorläufer der in beiden Weltkriegen in zahlreichen Häfen eingerichteten Marine-Ausrüstungsstellen angesehen werden.

Im April 1905 kehrten die nach Deutsch-Südwest-Afrika entsandten Verstärkungen auf „Lulu Bohlen" und „Eduard Woermann" nach erfüllter Aufgabe nach Deutschland zurück.

C. Logistische Probleme im 1. Weltkriege

1. Die Hochseeflotte

Die Hochseeflotte operierte von deutschen Häfen aus und kehrte dorthin jeweils wieder zurück. Die Versorgung mit Kriegsbedürfnissen vollzog sich daher im wesentlichen wie im Frieden. Infolgedessen traten nur selten außergewöhnliche Nachschubforderungen ein; soweit sie von einiger Bedeutung sind, werden sie besprochen werden.

Der Flottenbau ist in militärischer und politischer Hinsicht oftmals untersucht worden, nicht dagegen die logistischen Zusammenhänge. Diese sind jedoch für den Verlauf und den Ausgang des 1. Weltkrieges von entscheidender Bedeutung gewesen. Seit jeher mußten die militärischen und politischen Führer eines Volkes mindestens sich selbst darüber Rechenschaft ablegen, ob der von ihnen im Frieden getriebene logistische Aufwand für die Streitkräfte zu dem im Ernstfalle zu erwartenden Nutzen in einem gesunden Verhältnis stand. War diese Frage für die deutsche Hochseeflotte zu bejahen? Der Versuch, hierauf eine Antwort zu geben, kann nur in Verbindung mit den militärischen Ideen für die Verwendung der Flotte im Kriegsfalle gemacht werden.

Nach dem Willen Kaiser Wilhelms II. wurde eine Hochseeflotte geschaffen, die auf dem Tirpitz'schen Gedanken des Risikos basierte. In der Begründung der Flottengesetze von 1898 und 1900 wurde dem Reichstage vorgetragen, daß die Hochseeflotte im Kriegsfalle u. a. die Zufuhr von Versorgungsgütern aus Übersee sicherstellen solle. Danach hätte der Risikogedanke eine Schlacht im Atlantik einschließen müssen. Solche Möglichkeiten waren weder gegeben noch zu erwarten. Die Hochseeflotte war nach ihrem Aktionsradius lediglich für eine Schlacht in der Nordsee bestimmt und geeignet. Erst der Schlachtkreuzer „Mackensen" — Stapellauf 21. 4. 1917 —, der im Kriege jedoch nicht mehr fertiggestellt wurde, hätte eventuell, ähnlich wie im 2. Weltkriege die „Bismarck", in den Atlantik gesandt werden können. Bei einem Bunkerfassungsvermögen von 4000 t Kohlen und 1500 t Heizöl verfügte er mit Marschturbinen und 12 kn über einen Aktionsradius von etwa 10 000 sm. Seine Verwendung im Atlantik hätte hinsichtlich des Nachschubs von Kriegsbedürfnissen, insbesondere von Betriebsstoffen und Munition, mindestens den Bau mehrerer schneller Troßschiffe zur Voraussetzung gehabt. Solche Schiffe waren aber weder vorhanden noch geplant.

Zweifel an dem Nutzen der Hochseeflotte im Kriegsfalle und der Zweckmäßigkeit des Flottenbaues beschäftigten Tirpitz seit seiner Beauftragung. So schrieb er im Jahre 1897: „Ich glaube nun zwar, daß diese Gegner zunächst nicht kommen werden, und daß wir mit unserer großen Flotte dann warten werden.“ Daraus ergibt sich u. a., daß v. Tirpitz bereits damals eine enge Blockade, für die er die Flotte schuf, als unwahrscheinlich erkannt hatte. Seine Befürchtungen, die sich aus der schnellen Steigerung des englischen Marinehaushalts auf weit über eine Milliarde Mark ergaben, brachte Tirpitz in einem Vortrage vor dem Kaiser Ende 1910 wie folgt zum Ausdruck: „Läßt sich die englische Flotte dauernd und grundsätzlich so stark machen und erhalten, daß ein Angriff auf Deutschland kein Risiko ist, so war die deutsche Flottenentwicklung vom historischen Standpunkt aus ein Fehler, die Flottenbaupolitik Euer Majestät ein historisches Fiasko.“

Der große Organisator der Flotte hat frühzeitig darauf hingewiesen, daß der Flottenbau einer Koordinierung mit der Außenpolitik des Reiches bedürfe. Wie aus seinem Schriftwechsel mit v. Stosch hervorgeht, dachte er dabei an eine Hinwendung nach Rußland und selbst nach Frankreich. An solcher Koordinierung hat es ohne Schuld des Großadmirals gefehlt.

Aus seinen Zweifeln in die Richtigkeit des Flottenbaues stellte er während der Frühjahrsmanöver 1914 dem Flottenchef die Frage, was er zu tun gedenke, wenn sich die englische Flotte nicht zur Schlacht stelle. Admiral v. Ingenohl wußte darauf keine Antwort zu geben. Tatsächlich gab es für diesen Fall keine Verwendung für die Hochseeflotte, die in einem angemessenen Verhältnis zu dem logistischen Aufwand weder bei ihrer Entstehung noch für ihre Unterhaltung im Kriege gestanden hätte. In der schicksalsschweren Frage des Großadmirals an den Flottenchef werden die quälenden Sorgen sichtbar, die der Schöpfer der Hochseeflotte selbst hinsichtlich des Nutzens der Flotte für den Krieg gegen England empfand. Da es auf seine Frage keine Antwort gab, so hätte dieser ernste Augenblick eine grundlegende Umstellung der Flottenbaupolitik herbeiführen müssen. Aus heutiger Sicht war die einzig mögliche Alternative zu dem Bau der großen Schiffe die sofortige großzügige Inbaugabe von Unterseebooten und der Unterseeboot-Handelskrieg. Hierbei handelt es sich jedoch nicht nur um eine rückschauende Betrachtung. Vielmehr wurde dem Großadmiral im Juni 1914 bei der für das U-Bootwesen verantwortlichen Inspektion eine Denkschrift vorgetragen, in der mehr als 200 U-Boote für einen U-Boothandelskrieg gefordert wurden.

Das Fehlen eines echten Admiralstabes mit unabhängigen Persönlichkeiten, die in der Lage gewesen wären, den Möglichkeiten und Notwendigkeiten eines Seekrieges gegen England bis zu Ende nachzugehen und die logischen und logistischen Schlußfolgerungen daraus zu ziehen, verhinderte eine Auswertung solcher Ideen. Gewiß wäre eine so vollkommene Änderung der Flottenbaupolitik zu einem Zeitpunkt, zu dem der Krieg bereits unvermeidbar geworden war, dem Eingeständnis einer verfehlten Baupolitik gleichgekommen. Jedoch auch das Heer war zu ähnlichen Maßnahmen während des Krieges gezwungen; die Kavallerie, die kurz vor dem Kriege noch eine Stärke von 99 Regimentern hatte, wurde fast vollkommen abgebaut.

Bereits 1904 warnte der Chef der Marinestation der Nordsee, Admiral Bendemann, auf Grund seiner eingehenden Kenntnis der englischen Verhältnisse vor einem verstärkten Ausbau der Hochseeflotte. Er schrieb damals, daß die englische Flotte keine Veranlassung haben würde, dem Gegner in die Häfen zu folgen; es genüge ihr, ihn dort lahmgelegt zu haben. Die untätige deutsche Flotte würde bald kriegsunbrauchbar sein. Der Verlauf des Krieges hat ihm in mehrfacher Hinsicht recht gegeben. Seine Warnung läßt ebenfalls bereits den Gedanken an eine weite Blockade erkennen. Zu derselben Frage äußerte sich Admiral Groos in gleichem Sinne in seinen „Seekriegslehren“: „Die feindlichen Seestreitkräfte werden für sie — die englische Flotte[1] — unerreichbar, sobald sie den Schutz befestigter Häfen aufsuchen.“

In der englischen Presse wurden seit 1909 — danach auch in der Presse anderer Länder — die Möglichkeiten einer Fernblockade der deutschen Bucht besprochen unter Stationierung der schweren

[1] Beifügung des Verfassers.

englischen Seestreitkräfte in den schottischen Häfen und in den Kanalhäfen. Dabei wurde darauf hingewiesen, daß auch Japan im russisch-japanischen Seekriege nach einigen Schiffsverlusten mit Erfolg zu einer Art Fernblockade von Port Arthur 1904 übergegangen war. Auch der deutsche Admiralstab kam im Mai 1914 zu der Erkenntnis, daß mit einer engen Blockade nicht zu rechnen sei. Es ist daher unzutreffend, wenn Admiral Groos in seinem Buch „Seekriegslehren" schreibt: „Wie schon gesagt, liegen die Vorteile der Offensive so auf der Hand, daß wir im Weltkriege ihre Anwendung durch die englische Flotte uns gegenüber für eine Selbstverständlichkeit gehalten haben." Nicht nur die Möglichkeit, sondern auch die Wahrscheinlichkeit einer Fernblockade der deutschen Bucht war viele Jahre vor dem Weltkriege im Auslande wie in Deutschland erkannt worden. Der deutsche Überseehandel — das war für den Kriegsausgang entscheidend — konnte von der englischen Flotte durch die weite Blockade ohne eigenes Risiko vernichtet werden. Die deutsche Hochseeflotte war — auch aus damaliger Sicht — ein Instrument gegen die enge Blockade; sie war — auf Grund ihrer Konstruktion — zur Brechung der weiten Blockade ungeeignet. Anscheinend wurden auf deutscher Seite die sich daraus ergebenden antilogistischen Auswirkungen — die wirtschaftliche Erdrosselung Deutschlands — nicht oder nicht voll erkannt. Allerdings rechnete die deutsche Führung mit einem kurzen Krieg ohne wesentliche Mitwirkung der deutschen Flotte. Admiral Gayer schreibt in seinem Buch „Die deutschen U-Boote in ihrer Kampfführung": „Der Sieg sollte durch die Armeen zu Lande errungen werden, während man der Flotte mit Ausnahme der U-Boote eine abwartende Haltung auferlegte." Admiral Groos drückt es im 1. Band Nordsee des amtlichen Seekriegswerkes ähnlich aus: „Man sah die eigene Aufgabe neben der offensiven Betätigung leichter Seestreitkräfte zunächst darin, die Helgoländer Bucht für spätere Unternehmungen als Aufmarschgebiet der Flotte von U-Booten und englischen Minen freizuhalten."

Der Bau der Hochseeflotte war eine gewaltige logistische Anspannung der gesamten deutschen Wirtschaft. Schon der Bau eines einzelnen großen Kriegsschiffes im Frieden hatte außerordentliche Auswirkungen industrieller, kommerzieller, finanzieller und administrativer Art, die weit über die Marine hinausgingen. Es fehlen ausreichende Unterlagen, um die Beanspruchung der vielen hundert Firmen für Maschinenbau, Elektrotechnik, Waffenbau usw. sowie der Walzwerke Deutschlands im einzelnen darzulegen. Der logistische Aufwand für den verstärkten Ausbau der Flotte nach 1900 beanspruchte im Frieden einen wesentlichen Teil des Reichshaushaltes und der industriellen Kapazität. Im Kriege erforderte die Flotte schließlich einen in seiner Höhe für die übrige Wehrmacht nicht mehr tragbaren Prozentsatz des Industrie- und Menschenpotentials. In dem amtlichen Admiralstabswerk „Die Überwasserschiffe und ihre Technik" urteilt z. B. Kapitän zur See (Ing) Köppen: „Das Mißverhältnis zwischen Arbeiterbestand und Arbeitsaufträgen trat später trotz Stillegung des Baues der großen Kriegsschiffe besonders bei der Vergebung der Unterseeboote in Erscheinung." Dies bezieht sich etwa auf Mitte 1917; allerdings war der Bau der großen Schiffe zu dieser Zeit noch nicht stillgelegt, sondern sie waren in eine niedrigere Dringlichkeitsstufe gesetzt worden. Ähnlich urteilt Admiral Spindler in „Der Handelskrieg mit U-Booten": „Alle Maßnahmen, die bis Februar 1915 und darüber hinaus hinsichtlich der Ausnutzung der Werften für den U-Bootsbau getroffen wurden, sind von dem Gedanken an eine kurze Kriegsdauer bestimmt und dadurch naturgemäß nachteilig beeinflußt worden. Die Durchführung eines großen U-Bootsbauplanes war ferner schon Anfang 1915 eine Arbeiterfrage." Dieser Versuch, die Unterlassung eines großen U-Bootsbauplanes zu rechtfertigen, wird durch die folgenden Zahlen widerlegt. Neben zahlreichen sonstigen Neubauten wurden im April 1915 4 Schlachtkreuzer in Auftrag gegeben, 3 weitere Schlachtkreuzer lagen auf Stapel, ferner liefen 1915/17 4 Linienschiffe sowie 3 der vorgenannten Schlachtkreuzer vom Stapel, ferner 1915—18 insgesamt 13 Kleine Kreuzer, 2 weitere lagen im November 1918 noch auf Stapel. Bei der Inbaugabe dieser Schiffe bzw. ihrem Weiterbau nach dem Verlust der Marneschlacht konnte zweifellos nicht mehr an „eine kurze Kriegsdauer" gedacht werden. Diese Neubauten ergeben zusammen mehr als 320 000 t.

Die vorstehend aufgeführten Schiffe waren Neukonstruktionen, die von den bisher gebauten Schiffen gleicher Klasse in wesentlicher Hinsicht abwichen. Logistisch gesehen erforderte ihr Bau daher einen erheblich größeren Aufwand an Personal und Material als die im Frieden erstellten Schiffe der gleichen Gattung. Während „Seydlitz“ noch ein Deplacement von 25 000 t hatte, „Derfflinger“ und „Lützow“ 26 600 t und „Hindenburg“ 27 000 t, hatten die übrigen 6 Schlachtkreuzer, deren Fertigstellung für Sommer 1917 bis Herbst 1918 vorgesehen war, ein Deplacement von 31 000 t. Für diese Schlachtkreuzer wurden während des Krieges 35-cm-Geschütze und Geschütztürme, die es bisher in Deutschland nicht gab, konstruiert und in Bau gegeben. Von den Linienschiffen „Sachsen“ und „Württemberg“ mit je 28 700 t Deplacement sollte „Sachsen“ für die Mittelwelle eine 6-Zylinder-Dieselmaschine erhalten mit etwa 12 000 PS. Die Konstruktion, der Bau, die vielfache Umkonstruktion dieser neuartigen Maschine und die Erprobungen zogen sich von 1914 bis 1918 hin, ohne daß sie frontreif wurde oder zur Verwendung gelangte. Das Deplacement der im Kriege erbauten Kleinen Kreuzer wurde gegenüber dem 1915 in Dienst gestellten bisher größten Kleinen Kreuzer „Regensburg“ mit 4 900 t auf 5 600 t erhöht. Die Stärke der Gürtelpanzer, der Geschütz- und Kommandotürme einiger Schiffe wurde auf 350 mm gesteigert, die Kasemattpanzer auf 170 mm. Die Walzprogramme dieser Schiffe wichen stark voneinander ab und nur die der Kleinen Kreuzer waren im wesentlichen einheitlich. Für die genannten Schiffe ist fast das gesamte Schiffbaumaterial während des Krieges ausgewalzt worden. Die Turbinen für den Schiffsantrieb waren unterschiedlich und erforderten daher eine erhöhte Konstruktions- und Fertigungsarbeit. Es wurden Doppelender-Ölkessel konstruiert, gebaut und erprobt. Um die Ritzel für die Herabsetzung der Turbinenumdrehungen auf die Schraubenumdrehungen einiger Schiffe fertigen zu können, mußte eine Ritzelfräßmaschine zuvor in Auftrag gegeben werden, deren Herstellung allein etwa ein Jahr dauerte. Daneben wurden Föttinger-Transformatoren für den gleichen Zweck gebaut in einer Größe, für die es kein Vorbild gab. Für die Linienschiffe und Schlachtkreuzer wurden neuartige Torpedobug- und Breitseitrohre H/8—60 cm entwickelt.

Außer diesen Schiffen mußte zwangsläufig eine Vielzahl von Torpedobooten usw. gebaut werden. In logistischer Hinsicht ist wohl eine der unverständlichsten Maßnahmen die Inbaugabe eines 40 000 t-Docks. England behalf sich nach der Doggerbank-Schlacht bei der Reparatur des Schlachtkreuzers „Lion“ mit Caissons.

Diese wenigen Daten zeigen bereits die ungeheure logistische Aufblähung der Marine während des Krieges. Diese Forderungen wären berechtigt gewesen, wenn eine Aussicht bestanden hätte, die Schiffe für die Sicherung der Zufuhr von Versorgungsgütern aus Übersee zu verwenden. Eine solche Hoffnung war jedoch aus damaliger Erkenntnis zu keinem Zeitpunkte gegeben. Infolgedessen ging der mit diesen Neubauten betriebene logistische Aufwand dem U-Bootsbau und den Anstrengungen des Heeres nutzlos verloren. Die Verantwortlichen erkannten nicht, daß der Haushalt des Reiches an Personal und Material bei aller Größe doch eben begrenzt war.

Die Gründe für die logistische Fehlentwicklung der Kaiserlichen Marine können in dem hier vorliegenden Zusammenhang nur kurz skizziert werden. Prinz Heinrich schrieb 1900: „Uns fehlt nach wie vor das verantwortliche Kommandoorgan, ohne das wir m. E. auf die Dauer nicht werden existieren können." Er meinte damit das Nebeneinander zahlreicher Immediatstellen und das Fehlen eines Admiralstabes nach der Art des Generalstabes. Zwar war versucht worden, der Kaiserlichen Marine einen Admiralstab und eine Admiralstabslaufbahn zu geben. In unerfreulichen Kämpfen zwischen dem Reichsmarineamt und dem Marine-Oberkommando wurde diese Absicht jedoch verwässert; erhalten blieb die Bezeichnung „Admiralstab" ohne rechten Inhalt und bei den Seebefehlshabern die Dienststellenbezeichnung „Admiralstabsoffizier". Diese Stellen wurden mit tüchtigen Spezialisten besetzt. Es bedurfte mehrfach der Einschaltung des Kaisers, um die Streitigkeiten zwischen den obersten Kommandobehörden der Marine zu schlichten; so verfügte er z. B. 1901: „Von einer gemeinsamen Bezeichnung der Admiralstabsoffiziere soll vorerst abgesehen werden. Der Admiralstab soll die Seetaktik und das Exerzierreglement entwickeln."

Das war eine recht bescheidene Zielsetzung für eine Behörde, die sich in Parallele zum Generalstab und dessen Aufgaben Admiralstab nannte. Die Erarbeitung strategischer Möglichkeiten und Ideen für die Führung eines Seekrieges und der sich erst hieraus ergebenden Folgerungen für den Bau geeigneter Kriegsschiffe war dem Admiralstab durch die Anordnung des Kaisers genommen. Die Flotte wurde ohne strategische Konzeption vom Reichsmarineamt und ohne Zusammenhang mit der Flotte und dem Admiralstab gebaut. Das Reichsmarineamt baute die Schiffe in Anlehnung an die entsprechenden Neubauten der englischen Marine, ohne daß die Frage ernsthaft geprüft wurde, wie Deutschland in seiner ganz anderen Situation im innersten Winkel der Nordsee diese Schiffe zur Erreichung des Kriegszieles verwenden könnte.

Der Bau der Hochseeflotte mußte sich daher in einem längeren Kriege als eine logistische Fehlleistung ungeheuren Ausmaßes erweisen.

Einzelne Seeoffiziere beschäftigten sich bereits vor dem Kriege mit der zu erwartenden Untätigkeit der Hochseeflotte in einem Kriege und wiesen auf die Kampfmittel des Schwächeren hin, den Einsatz von Torpedo- und U-Booten.

Bis zur Skagerrakschlacht und in dieser selbst hatte sich jedoch gezeigt, daß das Torpedoboot nicht das leisten konnte, was Tirpitz sich von ihm versprochen hatte. Nach seiner Idee sollten diese Boote durch — vor allem nächtliche — Vorstöße in die Nordsee den Kräfteausgleich zwischen den beiden Gegnern herbeiführen. Da mit einem kurzen Kriege gerechnet wurde, hätte der Kräfteausgleich sofort nach Kriegsbeginn angestrebt werden müssen. Es fanden jedoch in dieser Zeit keine solchen Torpedobootsvorstöße statt. Derartige Vorstöße hätten einige günstige Möglichkeiten gefunden, denn die britische Flotte führte im August 1914 vier Kreuzfahrten in der nördlichen Nordsee aus, die sich am 28. 8. schließlich bis unter die Geschütze von Helgoland ausdehnten. Auch im weiteren Verlauf des Krieges ist es durch Torpedobootsvorstöße zu keinem Kräfteausgleich gekommen. Der Gedanke des Kräfteausgleichs durch nächtliche Torpedobootsvorstöße ist nicht zu Ende durchdacht worden. Er hatte den Wunschgedanken einer engen Blockade der deutschen Bucht als Ausgangspunkt. Wegen der Gefahr des Verlustes von Schiffen bei Anwendung der engen Blockade führte aber England nach Kriegsausbruch die weite Blockade durch.

Die logistische Fehlleistung des Torpedobootbaues hinsichtlich der Idee des Kräfteausgleichs durch nächtliche Angriffe zeigte sich in besonderem Maße in der Nacht nach der Skagerrakschlacht. Obwohl sich die Kurse der deutschen und der englischen Flotte in dieser Nacht auf relativ engem Raum kreuzten, kam es selbst bei dieser in der Weltgeschichte gewaltigsten Massierung von großen

Kriegsschiffen und Torpedobooten zu keinem Torpedobootsangriff von deutscher Seite. Insgesamt haben im Verlaufe der 4 Jahre des 1. Weltkrieges nur zwei Torpedobootsangriffe stattgefunden, die etwa der Idee von Tirpitz entsprachen; beide allerdings nicht auf hoher See, sondern gewissermaßen vor Hafeneinfahrten: „S 90“ unter Kapitänleutnant Brunner versenkte vor Tsingtau am 7. 10. 1914 den japanischen Kreuzer „Takaschio“, (Baujahr 1885, 3700 t, Geschwindigkeit 18 kn) und das bei Schichau-Elbing als „S 165“ erbaute türkische Torpedoboot „Muaveneth i Milli“ unter Kapitänleutnant Firle versenkte vor den Dardanellen im März 1915 das englische Linienschiff „Goliath“ (Baujahr 1898, 13 150 t, Geschwindigkeit 19 kn).

2. Die U-Boote

a) Anregungen zum U-Bootshandelskrieg vor dem 1. Weltkriege

Da die von den Torpedobooten erhoffte Wirkung des Kräfteausgleiches nicht mehr zu erwarten war, wandte sich die Aufmerksamkeit während des Krieges dem U-Boot zu.

Bereits vor dem Krieg waren Überlegungen über die Verwendung von U-Booten angestellt worden. Vizeadmiral a. D. Freiherr v. Schleinitz war im August 1908 in einem Aufsatz „Der Außen- und Kleinkrieg zur See und seine Bedeutung für Deutschland“ für einen großzügigen Bau von U-Booten zur Bekämpfung der englischen Lebensmittelzufuhr eingetreten. Diese Schrift ist deshalb von besonderem Wert, weil in ihr erstmalig die Anwendung antilogistischer Maßnahmen gegen England empfohlen wird im ausgesprochenen Gegensatz zum Bau der Hochseeflotte. Die damals noch ungenügende Leistungsfähigkeit der U-Boote ließ diesen Vorschlag mehr als eine Möglichkeit für die Zukunft erscheinen.

Dagegen basierte eine Denkschrift des militärischen Referenten der Inspektion des U-Bootswesens auf den inzwischen entwickelten U-Booten mit Dieselantrieb, guten Sehrohren und Kreiselkompassen. Seine Ausarbeitung wurde im Juni 1914 Großadmiral v. Tirpitz vorgetragen; in dieser Denkschrift wurden zur Niederzwingung Englands durch einen U-Bootshandelskrieg 222 U-Boote gefordert. Diese Forderung sah einen U-Bootskrieg im Nordatlantik und im Mittelmeer nicht vor. Auch diese Anregung wurde nicht weiterverfolgt.

b) Die U-Boote bei Kriegsbeginn und erste Erfolge

Deutschland besaß bei Kriegsbeginn die U-Boote U 1 bis U 28, von denen jedoch nur die Boote U 19—U 28 voll frontverwendungsfähige Motoren (Diesel) hatten, während U 1—U 18 noch mit Petroleum-Motoren ausgerüstet waren. Einige dieser Boote befanden sich bei Kriegsausbruch in Reparatur, andere im Erprobungsverhältnis und U 30—U 45 im Bau. Die technische Entwicklung und auch die Ausbildung der U-Boote lag bis Kriegsbeginn in den Händen des Reichsmarineamtes, nicht des Flottenkommandos. Längere Fahrten zur Erprobung der Maschinenanlagen waren bei Kriegsausbruch noch nicht ausgeführt worden. Das Admiralstabswerk berichtet, daß die damals zuständige Torpedoinspektion im November 1913 einen Aktionsradius von 300 sm für U 5 bis U 18 als gegeben ansah bei einem Aufenthalt von 5 Tagen im Operationsgebiet und weiter: „das gesteckte Ziel, ein Hochsee-U-Boot zu schaffen, kann im allgemeinen als erreicht angesehen werden." Das U-Boot war im wesentlichen für ein Zusammenwirken mit der Hochseeflotte entwickelt worden. Der Gedanke an antilogistische Maßnahmen gegen die empfindliche Versorgung Englands war weder beim Admiralstab noch beim Reichsmarineamt erwogen worden.

Die U-Boote hatten nach Kriegsausbruch noch einige wesentliche logistische Mängel: es fehlten z. B. die Alarmvorrichtungen, um beim Sichten eines Gegners schnell tauchen zu können; die Sicherheitsbojen für Friedenszwecke, um gesunkene Boote schnell auffinden und heben zu können, lösten sich von selbst und schwammen vor dem Feind auf. Schwieriger zu beheben war die zu lange Tauchzeit, die damals noch 3—5 Minuten betrug. Im Frühjahr 1915 benötigten die U-Boote nur noch 1 Minute zur Erreichung normaler Tauchtiefe. Trotz solcher Mängel waren die Verluste in den ersten Kriegsmonaten verhältnismäßig gering; bis Ende Oktober 1914 gingen U 15, U 13 und U 18 verloren. Andererseits waren die Erfolge der U-Boote bei ausschließlicher Verwendung gegen feindliche Seestreitkräfte erstaunlich hoch. Es wurden versenkt:

9. 9. 14 von U 21 der englische Kreuzer „Pathfinder“ 3000 t, Baujahr 1904. Dies war der erste scharfe Torpedoschuß der Weltgeschichte von einem U-Boot.

29. 9. 14 von U 9 die englischen Kreuzer „Hogue“, „Aboukir“ und „Cressy“ je 12 200 t, Baujahr 1899 bzw. 1900.

15. 10. 14 von U 9 der englische Kreuzer „Hawke“, 7800 t, Baujahr 1891.

18. 10. 14 von U 27 das große und moderne englische U-Boot E 3, 710/825 t, Baujahr 1912.

31. 10. 14 von U 27 der englische Kleine Kreuzer „Hermes“, 5 700 t, Baujahr 1898.

Das U-Boot hatte in dieser kurzen Zeit von 2 Monaten gezeigt, was es zu leisten vermochte.

c) *Versäumte Auswertung der Erfolge*

Diese Erfolge wurden gegen ältere Kriegsschiffe erzielt, ferner fehlten zu dieser Zeit die erforderlichen Erfahrungen in der Abwehr von U-Bootsangriffen. Mit ähnlichen Erfolgen gegen Kriegsschiffe konnte daher auf die Dauer nicht gerechnet werden. Deshalb hätte es nahe gelegen, nunmehr dem Vorschlag der Inspektion des U-Bootswesens zu folgen und U-Boote in großer Zahl für den U-Bootshandelskrieg zu bauen. Das geschah jedoch nicht.

Vielleicht dachte Admiral Hansen auch an diesen Fall, als er 1936 schrieb: Kritik müsse begrüßt werden „in Kenntnis dessen, daß vor dem Kriege so mancher kritische Gedanke zum Schaden, wie sich später erwies, der Erfolgsmöglichkeiten deutscher Seekriegführung nicht etwa widerlegt, sondern unterdrückt worden ist.“

Mit der Marneschlacht im September 1914 war der Vormarsch der deutschen Truppen in Frankreich zum Stillstand gekommen. Der Operationsplan Schlieffens und die Hoffnung auf einen kurzen Krieg waren hinfällig geworden.

Admiral Groos schreibt hierzu: „Man hätte sehen müssen, daß man nach dem Scheitern der ersten deutschen Offensive zu Lande vor einem langen Krieg stand, in welchem das Material eine bisher ungeahnte Rolle spielen würde, damit auch die Zufuhren und damit die Seeherrschaft.“

Wenn die Marneschlacht kein Signal für eine gründliche Überprüfung der logistischen Notwendigkeiten und Möglichkeiten des Flottenbaues geworden war, so hätte dies spätestens die Skagerrak-Schlacht werden müssen. Die Besatzungen sowie die Konstruktion der Schiffe und ihre Standfestigkeit gegen Gefechtstreffer hatten sich in dieser Schlacht vorzüglich bewährt. Admiral Scheer zog jedoch aus dem Verlauf derselben die Schlußfolgerung, daß eine Wiederholung der Schlacht nicht möglich sei. Das Stärkeverhältnis der beiden Flotten verschob sich während des Krieges weiter zum Nachteil Deutschlands.

d) *Entstehung und Scheitern des ersten U-Bootshandelskrieges*

Den ersten Anstoß für die Umstellung des Seekrieges nach Kriegsbeginn gab ein Antrag des Führers der Unterseeboote, Korvettenkapitän Bauer, an das Flottenkommando, zur Vergeltung für die Sperrung des englischen Kanals den Handelskrieg gegen England mit U-Booten zu eröffnen. Er hatte bereits seit Mitte August 1914 mehrfach beim Flottenkommando auf diese Möglichkeit hingewiesen. Der kurze Antrag Bauer's war sicherlich gedacht als eine Parade in einem ritterlichen Kampf; für die Behinderung der Schiffahrt im englischen Kanal sollten feindliche Handelsschiffe versenkt werden, möglichst viele, soweit die Zahl der vorhandenen U-Boote das zuließ. Ein Erkennen des antilogistischen Würgegriffs Englands gegen Deutschland und ein Kontra hiergegen lag dem Antrage zweifellos nicht zugrunde. Anderenfalls hätte der Antrag dies zum Ausdruck gebracht und entsprechende Forderungen hinsichtlich eines großen U-Bootsbauprogramms gestellt. Auch eine Verbindung zu der Denkschrift der U-Bootsinspektion ist weder nachweisbar noch wahrscheinlich.

Die Zahl der U-Boote war für die sofortige Inangriffnahme eines U-Boothandelskrieges, der mehr sein sollte als ein Nadelstich gegen einen Giganten, zu gering. Der Antrag hätte für den Admiralstab jedoch richtungweisend werden können; er hätte eine Sternstunde Deutschlands einleiten können, wenn die in dem Antrage Bauers liegende Anregung gründlich durchdacht worden wäre. Die bisherigen eindrucksvollen Erfolge der U-Boote und das Fehlen solcher Erfolge seitens der Überwasserseestreitkräfte hätte die Verhinderung des Weiterbaues großer Schiffe und die Verstärkung der U-Waffe notwendig erscheinen lassen müssen.

Der Antrag des Korv.Kapitän Bauer vom 8. 10. 1914 wurde am 10. 10. 1914 vom Flottenkommando an den Admiralstab mit kurzem Anschreiben weitergereicht. Wie wenig das Flottenkommando an antilogistische Maßnahmen gegen England dachte, ergibt sich mit besonderer Klarheit aus folgendem Satz des Begleitschreibens an den Admiralstab: „Die Folgen der Vernichtung *eines oder des anderen Dampfers*[1] an diesen Hauptverkehrsstellen (gemeint sind der Firth of Forth und die Downs) innerhalb der feindlichen Hoheitsgewässer sind garnicht abzusehen.“ Vom Admiralstab hätte der Antrag Bauers vor allem in zwei Richtungen geprüft werden müssen:

a) es mußten in Verbindung mit dem Auswärtigen Amt und dem Reichskanzler die möglichen Rückwirkungen auf die neutralen Mächte ernsthaft untersucht werden. Wenn der beabsichtigte Schlag gegen England unbedingt tödlich und schnell wirkend geführt werden konnte, so waren alle Bedenken wegen der Haltung der Neutralen als bedeutungslos beiseite zu stellen. War jedoch eine schnelle Niederlage Englands nicht zu erreichen, so mußten die Wirkungen der Blockade auf die Neutralen festgestellt und berücksichtigt werden. Unterstaatssekretär Zimmermann vom Auswärtigen Amt berichtet am 30. 11. 1914 an den Reichskanzler wie folgt: „Unsere Seestreitkräfte müßten in der Lage sein, die Sperrung der englischen Küste so weit durchzuführen, daß die Schiffahrt nach England wenigstens einige Wochen hindurch im wesentlichen zum Stillstand kommt. Eine lediglich *sporadische Vernichtung einzelner*[1] englischer Kauffahrteischiffe würde keine Wirkung haben.“ Zimmermann erkannte die Situation also klarer als das Flottenkommando.

   Die Zweifel des Reichskanzlers beseitigte der Chef des Admiralstabes mit der Behauptung, daß die vorhandenen U-Boote ausreichten, England „nach kurzer Zeit“ zum Einlenken zu bewegen. Nach Äußerungen des Generals v. Falkenhayn hat er sogar anscheinend von „sechs Wochen“ gesprochen.

   Durch diese leichtfertige Erklärung des Chefs des Admiralstabes wurde eine sorgfältige Prüfung der Wirkung der be-

---

[1] Hervorhebung durch den Verfasser.

absichtigten Blockade auf die neutralen Mächte verhindert. Seine Zweifel brachte Bethmann-Hollweg nochmals telefonisch während der Übergabe der Dienstgeschäfte des Chefs des Admiralstabes, Admiral v. Pohl, an Admiral Bachmann zum Ausdruck, ohne jedoch durchzudringen.

b) Der Admiralstab mußte die Erfolgsaussichten eines U-Bootshandelkrieges untersuchen; hierbei hätte die Denkschrift der Inspektion des U-Bootswesens wertvolle Dienste leisten können. Das Maxium der Versenkungszahlen von Schiffen war unschwer aus der Zahl der im Operationsgebiet zur Verfügung stehenden wenigen U-Boote multipliziert mit der Zahl der an Bord dieser Boote vorhandenen Torpedos zu ermitteln. Diese einfache Berechnung des Maximums der möglichen Versenkungen — ohne Berücksichtigung von Fehltreffern und U-Bootsverlusten — hätte bereits die Unwirksamkeit dieser Kriegführung infolge der ungenügenden Zahl von U-Booten erkennen lassen. Großadmiral v. Tirpitz urteilte am 9. 11. 14: „Zeitpunkt nicht früher als einigermaßen U-Boote zur Stelle. Die Blockade von ganz England klingt sehr nach Bluff. Blockade zunächst Themse scheint mir besser." Sein Hinweis blieb jedoch unbeachtet. Er hätte zur vorläufigen Zurückstellung der U-Bootsblockade und zu ihrer großzügigen Vorbereitung durch ein entsprechendes U-Bootsbauprogramm führen müssen.

Das Wiegand-Interview des Großadmirals v. Tirpitz hatte die Spannungen mit dem Chef des Admiralstabes, Admiral v. Pohl, weiter so verschärft, daß v. Pohl die Entscheidung des Kaisers zur U-Bootsblockade trotz einer entgegenstehenden Order des Marinekabinetts vom 30. 7. 14 ohne Anhören des Großadmirals herbeiführte. Auf einer Bootsfahrt in Wilhelmshaven erhielt Admiral v. Pohl am 4. 2. 1915 die Unterschrift des Kaisers für die Eröffnung der U-Bootsblockade gegen England. Der im Boot anwesende Großadmiral v. Tirpitz wurde vor dem Vortrage nicht unterrichtet. Er schreibt in seinem Buch „Politische Dokumente", daß er „zufällig dabeistand" und daß er „gänzlich unorientiert" war. Das Neben- und Gegeneinander der zahlreichen Immediatstellen tritt hierbei wieder in Erscheinung. v. Tirpitz als Chef des Reichsmarineamtes hatte die Maßnahmen für den Bau von U-Booten zu treffen, die ein Handelskrieg zur Voraussetzung hatte.

Admiral v. Pohl beantragte diese Genehmigung beim Kaiser als Chef des Admiralstabes, der er jedoch nicht mehr war. Er hatte wenige Stunden zuvor die Dienstgeschäfte als Flottenchef übernommen und seine bisherigen Aufgaben als Chef des Admiralstabes zwei Tage zuvor seinem Nachfolger, Admiral Bachmann übergeben. Bei dieser Übergabe hielt Admiral Bachmann den Zeitpunkt für die Eröffnung des Handelskrieges für verfrüht, da er die Zahl der U-Boote als unzureichend ansah. Er schreibt dies in seinem Tagebuch. Bei der Übergabe hatte er jedoch — als der für Durchführung und Erfolg Verantwortliche — keine Einwendungen gegen den beabsichtigten, aber noch nicht befohlenen Handelskrieg mit U-Booten erhoben.

Die von Admiral v. Pohl noch in seiner Eigenschaft als Admiralstabschef — vor der Unterschrift des Kaisers — am 2. 2. 1915 an das Flottenkommando gegebenen Ausführungsbestimmungen besagten „es ist anzustreben, daß die Irische See einschließlich Bristol Kanal mit 3, der Englische Kanal mit 2—3 U-Booten besetzt wird.“ Bald darauf mußte er in seiner nunmehrigen Eigenschaft als Flottenchef dem Admiralstab melden, daß die Besetzung der genannten Seegebiete und der Ostküste Englands mangels einer ausreichenden Zahl von U-Booten nur mit je einem U-Boot möglich sei.

Diese wenigen U-Boote sollten zehntausende von Quadratkilometern Seeraum kontrollieren. In diesen Seegebieten meldeten die U-Bootskommandanten nach dem amtlichen Admiralstabswerk, daß sie täglich 80—100 Dampfer gesichtet hätten. Es ist auch daraus ersichtlich, daß die verfügbaren U-Boote — ausgerüstet mit nur 4—10 Torpedos je nach U-Bootstyp — keine wesentliche antilogistische Wirkung auf die Versorgung Englands auszuüben vermochten.

Die eigenartige Entstehung des Befehls für die Eröffnung des U-Bootshandelskrieges wurde kurz dargelegt, weil sie zeigt, daß nicht nur auf dem logistischen Gebiet, sondern auch auf dem der reinen Befehlsführung durch das Fehlen eines echten Admiralstabes ungesunde und für die Kriegführung nachteilige organisatorische Verhältnisse vorlagen.

Es ist nicht Aufgabe dieses Buches, die verschiedenen Phasen des U-Bootskrieges zu schildern. Wenn dieser Krieg schließlich scheiterte, so lag es an dem mangelnden Verständnis höchster Stellen für die logistischen Zusammenhänge.

Admiral Gayer schreibt über den ersten Abschnitt des U-Bootshandelskrieges: „Mitte September 1915 mußte man sich an der Front darüber klar sein, daß die am 4. 2. 1915 verkündete U-Bootsblockade zusammengebrochen war."

e) *Verfehlte logistische Forderungen*

Dieser erste Versuch eines U-Bootshandelskrieges hatte immerhin wertvolle Erfahrungen gebracht. Vom 22. 2. 1915 bis 18.9.1915 gingen 12 deutsche U-Boote verloren. Trotz zahlreicher einschränkender Befehle, die aus politischen Gründen im wesentlichen infolge der Einsprüche neutraler Staaten erfolgten, wurden im August 1915 insgesamt 175 000 BRT versenkt. In diesem Monat befanden sich 14 U-Boote in ihren Operationsgebieten. Es war daher zu diesem Zeitpunkt erkennbar, daß England mit einer ausreichenden Zahl von U-Booten niederzuringen war. Bei Beginn der U-Bootsblokkade deckten die Neubauten von U-Booten etwa die eingetretenen Verluste. Trotzdem wurde zum Nachteil des U-Bootskrieges der Bau der Schlachtkreuzer, Linienschiffe und kleinen Kreuzer fortgesetzt. Nach der Erklärung der U-Bootsblockade im Februar 1915 liefen noch folgende Schiffe vom Stapel:

die Linienschiffe „Bayern" (1915), „Baden" (1915), „Sachsen" (1916), „Württemberg" (1917),

die Schlachtkreuzer „Hindenburg" (1915), „Mackensen" (1917) und „Graf Spee" (1917),

die Kleinen Kreuzer „Wiesbaden", „Frankfurt", „Königsberg" (alle 1915), „Emden", „Nürnberg", „Karlsruhe", „Köln" (alle 1916), „Wiesbaden", Ersatz „Dresden", Ersatz „Magdeburg" (alle 1917), „Leipzig", „Rostock", Ersatz „Königsberg" (alle 1918).

Der Gleichzeitigkeit dieser ungeheuren logistischen Forderungen an großen Schiffen und U-Booten waren die deutschen Werften ebensowenig gewachsen wie die etwa 1000 Firmen für die Lieferung von Motoren, elektrischen Geräten, Waffen usw. Selbst die Beschaffung der Torpedos und Minen machte Schwierigkeiten. Diese logistischen Engpässe hätten durch einen scharfen Kurswechsel in der Fertigung der Überwasserschiffe behoben werden können.

f) *Logistische Gründe für das Scheitern des U-Bootshandelskrieges vom Februar 1917*

Als sich die Lage an den Landfronten weiter ungünstig entwikkelte, fanden am 30. 8. 1916 in Pless in Gegenwart des Chefs des Admiralstabs, Admiral v. Holtzendorff, Besprechungen über die Wiederaufnahme des U-Bootskrieges statt, wobei grundsätzlich der Entschluß zum uneingeschränkten U-Bootskrieg gefaßt wurde. Diese schicksalsschwere Entscheidung kam durch die Versicherung des Chefs des Admiralstabes zustande, daß England durch diesen Krieg innerhalb von sechs Monaten zusammenbrechen würde. Er stützte sich bei dieser Angabe vor allem auf das stark verklausulierte Gutachten des ordentlichen Professors der wirtschaftlichen Staatswissenschaften, Bernhard Harms, Direktor des Instituts für Seeverkehr und Weltwirtschaft in Kiel. Bei diesen Besprechungen war warnend zum Ausdruck gekommen, daß die USA nach der Erklärung des uneingeschränkten U-Bootskrieges in den Krieg gegen Deutschland eingreifen würden. Trotzdem hielt der Chef des Admiralstabes seine Zusicherung aufrecht. Zu diesem Zeitpunkt verfügte Deutschland über 104 U-Boote, davon 16 Schulboote und einige Boote in der Erprobung. Von den für die Front verbleibenden knapp 90 U-Booten konnten daher auf allen Meeren einschließlich Nordatlantik und Mittelmeer nur jeweils 30 U-Boote im Operationsgebiet tätig sein. Das waren nach den Erfahrungen der 1. Phase des U-Bootskrieges von 1915 zu wenig Boote. Ferner war zu bedenken, daß die Bekämpfung der U-Boote wirksam weiter entwickelt worden war.

Obwohl der neue U-Bootskrieg als letztes Mittel die Entscheidung des Krieges erzwingen sollte, wurden nach diesen Besprechungen in Pless lediglich 2 U-Boote zu je 800 t, 16 U-Boote zu je 400 t und 9 U-Kreuzer in Bau gegeben. Andererseits liefen nach diesem Beschluß in vollkommener Verkennung der bereits stark reduzierten logistischen Möglichkeiten Deutschlands noch folgende große Schiffe vom Stapel: Linienschiff „Sachsen“ am 21. November 1916, „Württemberg“ am 20. 6. 1917, die Schlachtkreuzer „Mackensen“ am 21. 4. 1917 und „Graf Spee“ am 15. 9. 1917, die

1916 vom Stapel gelaufenen Kreuzer „Emden", „Nürnberg", „Karlsruhe" und „Köln" wurden fertig und in Dienst gestellt; die Kleinen Kreuzer „Wiesbaden", Ersatz „Dresden" und Ersatz „Magdeburg" liefen 1917 vom Stapel und 1918 die Kleinen Kreuzer „Leipzig", „Rostock" und Ersatz „Königsberg". Die großen Schiffe kamen in eine geringere Dringlichkeitsstufe, die Baubelehrungskommandos blieben jedoch auf diesen Schiffen. Dieses Nebeneinander logistischer Forderungen ohne klare Schwerpunktbildung für den U-Bootsbau wirkte sich infolge des Mangels an Arbeitern und Material in entscheidender Weise zum Nachteil der Kriegsführung aus. Eine dieser Folgen war, daß trotz „Abgabe einer großen Zahl hochwertiger Arbeitskräfte durch die Heeresleitung" (Admiral Groos) die Indienststellung von U-Bootsneubauten von 100 im Jahre 1916 auf 88 im Jahre 1917 fiel und 1918 auf 85.

Nach dem Kriege erklärte der Staatssekretär des Reichsmarineamtes, Admiral v. Capelle, der Großadmiral v. Tirpitz im März 1916 abgelöst hatte, das Unterlassen größerer Bestellungen von U-Booten damit, daß der Chef des Admiralstabes die Niederlage Englands für die nächsten Monate zugesichert hätte. U-Bootsneubauten wären daher zu spät gekommen.

Im Februar 1917 — fünf Monate nach dem Entschluß in Pless — wurde der uneingeschränkte U-Bootskrieg verkündet. Erst nach diesem Zeitpunkt erfolgten folgende Bestellungen:

im Februar 1917	51	U-Boote
im Juni 1917	95	U-Boote
im Dezember 1917	120	U-Boote
im Juni 1918	220	U-Boote
insgesamt	486	U-Bootsbestellun-

gen nach der Erklärung des uneingeschränkten U-Bootskrieges. Wenn die deutsche Industrie in der Lage war, diese Neubauten 1917/18 aufzunehmen, so hätte sie diese Bestellungen nach dem Zusammenbruch der mit unzureichenden Kräften begonnenen 1. Phase des U-Bootskrieges ab Herbst 1915 natürlich in weit höherem Maße ausführen können.

Der Bestand an U-Booten betrug auf dem Höhepunkt des uneingeschränkten U-Bootskrieges im August 1917 insgesamt 164 U-Boote, darunter 32 U-Boote für Schulzwecke und solche, die sich im Erprobungsverhältnis befanden. Von den für den Frontdienst zur Verfügung stehenden etwa 130 U-Booten befanden sich im günstigsten Falle nicht mehr als etwa 40 U-Boote in ihren Operationsgebieten. Die übrigen U-Boote befanden sich in Reparatur und auf dem An- bzw. Rückmarsch.

Die großen Leistungen dieser wenigen U-Boote vom nördlichen Eismeer bis zum Mittelmeer brachten England bis kurz vor den Zusammenbruch. Im August 1917 hatte es nur noch für wenige Tage Lebensmittel. Der Krieg wäre anders ausgegangen, wenn die 1916 und 1917 für den Großschiffbau aufgewendeten Arbeiter im U-Bootsbau tätig gewesen wären. Mit dem Material für den Bau der aufgeführten Linienschiffe, Schlachtkreuzer und Kleinen Kreuzer in Höhe von etwa 320 000 t konnten etwa 500 U-Boote des Normaltyps erstellt werden, und das für die Besatzungen dieser Schiffe erforderliche Personal genügte für die Indienststellung dieser U-Boote. Logistisch gesehen wäre dieses Bauprogramm wesentlich einfacher durchzuführen gewesen als das der großen Schiffe, sowohl hinsichtlich der Walzprogramme wie hinsichtlich des Baues einheitlicher Antriebs- und Hilfmaschinen der U-Boote. Solche Normung wurde während des Krieges allerdings nur teilweise erzielt. Sie hätte den Bau und die Reparatur der U-Boote erheblich beschleunigt und wurde daher von der Front bereits seit 1916 wiederholt gefordert; als einer der ersten U-Bootsoffiziere setzten sich hierfür der Chef der U-Flottille Flandern, Korvettenkapitän Bartenbach, und sein Flottilleningenieur Augustini energisch ein.

Zur Behebung der sich in steigendem Maße ankündigenden Schwierigkeiten bei der Beschaffung von Kupfer, Messing, Bronze und anderen Bunt- und Sparmetallen sowie von Stahl hätten die teils vor, teils nach der Skagerrakschlacht außer Dienst gestellten veralteten Linienschiffe, Küstenpanzer und Kreuzer — logistisch gesehen — verschrottet werden müssen. Dadurch wären etwa 250 000 t hochwertiger Stahl sowie etwa 18 000 t Buntmetalle gewonnen worden. Diese Schiffe wurden, nachdem sie aus der Front zurückgezogen worden waren, als Wohnschiffe, Beischiffe, Destillierschiffe usw benutzt, d. h. im wesentlichen als Ersatz für Baracken. Sie erforderten bei dieser nebensächlichen Verwendung Tausende von Soldaten für die Indiensthaltung. Für ihre Instandhaltung wurden die Werften in erheblichem Umfange in Anspruch genommen. Durch ihre Verschrottung konnte das Material für den Bau weiterer 400 U-Boote gewonnen werden, und die für den Frontdienst nachteilige Verwendung von Stahl für seewasserführende Rohrleitungen auf U-Booten konnte eingeschränkt werden.

Mit einem ungeheuren logistischen Aufwand war in jahrelanger Arbeit in der Hochseeflotte ein militärisches Instrument geschaffen worden, für das eine entscheidende Aufgabe im Kriege nicht vorgesehen war. Die Flotte hatte in strategischer Hinsicht — Sicherung der Zufuhren aus Übersee — keine Bedeutung.

Im Generalstab war vor dem Kriege die Frage gestellt worden, ob der hohe Marineetat in einem angemessenen Verhältnis zu dem im Kriege zu erwartenden Nutzen stehe. Hierzu einige Daten des Heeres und des Marineetats vor dem Kriege:

	Marine	*Heer*
1900	200	540
1910	440	710
1912	467	750 Millionen Mark

Das Fehlen eines Oberkommandos für Heer und Marine und eines verantwortlichen Kommandoorgans der Kaiserlichen Marine hat vor dem Kriege den letzten Endes verfehlten Flottenbau ermöglicht. Während des Krieges wirkte sich die ungenügende Kenntnis der verantwortlichen Stellen von den Grenzen der logistischen Leistungsfähigkeit Deutschlands schädlich aus. Beim Gegner wurden diese logistischen Zusammenhänge erkannt und zum Prinzip der Kriegführung gemacht. Churchill sagte bereits am 9. 11. 1914 vor dem Unterhaus, die wirtschaftliche Erdrosselung Deutschlands durch die Blockade brauche Zeit, aber der Erfolg sei sicher.

Es fehlte in Deutschland die einfache Erkenntnis, daß in einer Familie Mann und Frau nicht mehr ausgeben dürfen, als der Mann verdient. Diese Regulierung obliegt in der Familie im allgemeinen dem Manne. Für den so unendlich schwieriger zu übersehenden logistischen Haushalt des Deutschen Reiches fehlte eine solche Stelle. Heer und Marine sowie die sonstigen Bedarfsträger verhandelten auch während des Krieges mit den Lieferfirmen über ihren Bedarf nach dem System des normalen Marktes wie im Frieden. Das war in den übrigen kriegführenden Ländern wohl nicht anders, jedoch standen den damaligen Feindmächten die unermeßlichen Zufuhren aus Übersee zur Verfügung. So erklärt es sich, daß in Deutschland die industrielle Produktion zunächst langsam, dann schneller werdend absank, während sie z. B. in Frankreich und England von 1915 an langsam anstieg und 1918 ihr Maximum erreichte. Die Zufuhr von Getreide, Fleisch, Wolle, Maschinenprodukten, flüssigen Brennstoffen usw. aus Übersee brachte den damaligen Feindmächten den Sieg. Wie nahe der U-Bootskrieg dem Erfolge war, geht daraus hervor, daß England und Frankreich Ende 1917 nur noch für 3—4 Tage Mehl in den Magazinen hatten, keine Bestände an Reis und Gefrierfleisch.

In Deutschland führte die Gleichzeitigkeit der Forderungen von Kriegsbedürfnissen beider Wehrmachtsteile zur Festlegung von Dringlichkeitsstufen, deren Handhabung diesen Stellen jedoch infolge Fehlens einer zu Entscheidungen berechtigten obersten logistischen Stelle im wesentlichen überlassen blieb. Eine solche Organisation konnte während des Krieges mit Aussicht auf Erfolg kaum geschaffen werden. Sie hätte vor dem Kriege entstehen und wachsen müssen. Die Erkenntnis jedoch, daß die deutsche Kriegswirtschaft — und wohl generell jede Kriegswirtschaft — notwendigerweise dirigiert werden muß und für die Leitung einer solchen Aufgabe einer logistischen hohen Behörde bedarf, wurde erst während des Krieges gewonnen. Als erster regte im April 1916 der Unterstaatssekretär Michaelis die Schaffung eines „Kriegsernährungsamtes" an, das die gesamte Lebensmittelbeschaffung und -verteilung nach einheitlichen Gesichtspunkten regeln sollte. Im Frühjahr 1917 wurde durch das „Hindenburgprogramm" versucht, die Erstellung von Munition und Minenwerfern zu verdoppeln, von Geschützen, Maschinengewehren und Flugzeugen zu verdreifachen. Bald darauf folgte das „Kriegsleistungsgesetz", das vor allem die Einschränkung der Nichtkriegsindustrie regelte. Ende 1917 schlug der Präsident des „Kriegsernährungsamtes", Batocki, die Schaffung einer „Obersten Kriegswirtschaftsleitung" vor, der das „Kriegsarbeitsamt" und das „Kriegsernährungsamt" unterstellt werden sollten, und etwa gleichzeitig Ende 1917 trat das Gesetz über den „Vaterländischen Hilfsdienst" in Kraft.

Die logistischen Notwendigkeiten wurden — wie diese kurze

Zusammenstellung zeigt — während des Krieges erkannt, jedoch nicht in vollem Umfange und zu spät, um sich noch wesentlich auswirken zu können. Die Ursachen dafür, daß eine logistische Spitzenorganisation im Frieden nicht geschaffen wurde, liegt wahrscheinlich in dem Glauben des Generalstabes an einen kurzen Krieg nach dem Schlieffen-Plan. Wenn der Generalstab die Möglichkeit eines mehrjährigen Krieges ernsthaft erwogen hätte, so mußte von ihm der Anstoß zur Schaffung einer Organisation ausgehen, die die wirtschaftlichen Möglichkeiten Deutschlands mit der Gesamtheit der strategischen Planungen und der sich daraus ergebenden personellen und materiellen Forderungen abzustimmen hatte. Diese logistische Organisation mußte bereits im Frieden die Kriegswirtschaft organisieren, sie mußte das Gleichgewicht sicherstellen zwischen den militärischen Forderungen beider Wehrmachtsteile und den sonstigen Bedarfsträgern einerseits und den zur Verfügung stehenden Mitteln an zivilen Arbeitskräften, an finanziellen und industriellen Möglichkeiten, an Lebensmitteln, an Materialien, kurz dem nationalen Potential andererseits. Zweifellos konnte dies nicht von der jungen, kriegsunerfahrenen Kaiserlichen Marine erwartet werden mit einer Organisation, die im Ernstfalle noch nicht erprobt war. Hemmend wirkte wohl ganz allgemein die mangelnde Neigung der damaligen Offiziere, sich mit wirtschaftlichen und technischen Dingen zu befassen. Der Generaldirektor der MAN, Reichsrat v. Rieppel, sagte 1917: „daß wirtschaftliche und technische Fragen von großer, ja ausschlaggebender Bedeutung werden könnten, lag den Auffassungen unserer Offiziere fern. — Die Gewohnheit, alles Technische immer fertig, ohne eigentliches Verständnis und durch die Brille der Vorschrift zu sehen, erklärt, warum deutsche Offiziere die Technik und die Wirtschaftslehre nur als Hilfsmittel betrachten, deren sie sich jederzeit mühelos und ohne Notwendigkeit eigener Vertiefung, aber — vermeintlich! — mit voller Wirkung bedienen zu können glauben. Daß dies ein Trugschluß ist, liegt auf der Hand. Er führt zunächst zu einer Überschätzung des eigenen Könnens, weiter zu dem Glauben, militärische Grundsätze auf die ganz anders gearteten Verhältnisse der Technik und der Wirtschaftslehre übertragen zu können."

g) *Reparatur und Versorgung von U-Booten außerhalb der Heimat*

Die logistischen Notwendigkeiten der Versorgung und der Reparatur von U-Booten lagen außerhalb des Heimatgebietes zum Teil sehr im argen. In Flandern brachte der Chef der U-Flottille, später Führer der Unterseeboote Flandern, Korvettenkapitän Bartenbach, durch seine Energie und sein Verständnis für technische Belange Ordnung in die dortigen logistischen Verhältnisse.

In Pola und Cattaro übernahmen zunächst die K. und K. Werkstattschiffe „Gäa“ und „Cyklop“ die Reparatur der dort stationierten deutschen U-Boote. Obwohl sie schon Ende 1915 dieser Aufgabe nicht mehr gewachsen waren, wurde der deutsche Dampfer „Mieze Blumenfeld“ (4102 BRT) als Werkstattschiff vorgesehen, aber nicht in Betrieb genommen. Infolge dieser Nachlässigkeiten dauerten die Reparaturen der U-Boote zum Schaden der Kriegführung außerordentlich lange. „U 72“ und „U 73“ lagen seit dem 17. 12. 16 bzw. 30. 12. 16 in der Werft in Pola. Durch das Warten auf Reparaturmöglichkeiten konnten sie im ganzen Jahr 1917 nur eine einzige Fahrt von etwa 4 Wochen ausführen.

Die Versorgung der U-Boote in Pola und Cattaro mit Treib- und Schmierölen war so schlecht organisiert, daß die Fahrbereitschaft der Boote darunter litt. Es fehlte auch an Behältern für die Lagerung von Treib- und Schmierölen. Mangels eiserner Fässer für den Transport aus Deutschland nach den österreichischen Häfen wurden Holzfässer verwendet, die durch Leckagen erhebliche Verluste dieser Sparstoffe verursachten. Nach seinem Dienstantritt Anfang 1918 versuchte der Chef des U-Bootsamtes, Vizeadmiral Ritter v. Mann, Edler v. Tiechler, diese Verhältnisse zu bessern. Im Mai 1918 beauftragte er mit schnellem Erfolg einen Ingenieuroffizier mit der Leitung der Reparaturwerkstätten und der Versorgung der U-Boote in Cattaro. Die beabsichtigte weitere Kommandierung von Ingenieuroffizieren für ähnliche Aufgaben mußte unterbleiben, da bereits mehr als 25 Prozent dieser Offiziere gefallen und der Rest in der Front unentbehrlich war.

Ähnlich ungünstige Verhältnisse lagen in Konstantinopel vor. „UB 14“, nur 125 t groß, brauchte für eine Motorenreparatur im Jahre 1917 volle sechs Monate, und „UC 15“, 168 t, brauchte 1916 fünf Monate. Andererseits gelang es dem Leitenden Ingenieur von „UC 15“ 1915, nachdem es den Stützpunkt Orak bei Budrun in der

Bucht von Kos in Kleinasien mit einer schweren Motorenhavarie angelaufen hatte, das Boot innerhalb von drei Wochen unter Benutzung der primitiven Einrichtungen des türkischen Stützpunktes mit seinem Personal allein wieder frontbereit zu machen.

h) *Handels-U-Boote*

In diesem Zusammenhang seien auch die 6 Handels-U-Boote erwähnt. Der Bau dieser Boote wurde erforderlich, als eine Reihe nicht ersetzbarer Materialien in Deutschland auf die Neige ging. Ihr Bau und ihre beabsichtigte Verwendung resultierten ausschließlich aus logistischen Notwendigkeiten. Sie sollten aus Übersee Materialien holen, die für die Fortsetzung des Krieges dringend benötigt wurden. Im Juni 1916 fuhr „U-Deutschland", Kommandant Kapitän König, nach Baltimore in USA und brachte von dort 350 t Gummi, 343 t Nickel, 83 t Zinn und 0,5 t Jute nach Deutschland. Man erkennt aus diesen kleinen Mengen, für deren Transport das Boot eigens gebaut worden war, die außerordentliche Dringlichkeit dieses Nachschubbedarfs. „U-Bremen", Kommandant Kapitän Schwarzkopf, ging 1916 auf der Fahrt nach New-London (USA) verloren. Da sich das Verhältnis zu den USA inzwischen ungünstig entwickelt hatte, wurden die übrigen Handels-U-Boote zu U-Kreuzern umgebaut. Sie hatten jedoch nur eine Überwassergeschwindigkeit von 7 kn und benötigten eine sehr lange Zeit, um auf Tiefe zu kommen. Sie waren daher für den U-Bootskrieg nur eingeschränkt verwendungsfähig.

D. Nachschubmaßnahmen in Übersee

1. Die Etappe

Vor der Jahrhundertwende bis zum 1. Weltkriege waren Kreuzer und Spezialschiffe der Kaiserlichen Marine auf verschiedenen Stationen im Auslande eingesetzt, um die deutschen Interessen zu wahren. Bei besonderen Anlässen, wie den Wirren in China, wurden sie durch Seestreitkräfte verstärkt, die der Hochseeflotte in den heimischen Gewässern entnommen wurden. Diese im Auslande stationierten Streitkräfte beschafften ihren normalen Nachschub an

Kohlen, Schmierölen, Schaufeln, Kohlenkörben, Tauwerk, Fendern, Trinkwasser, Proviant usw. im allgemeinen in den Häfen des Gastlandes auf Grund von Lieferverträgen. Nachschub besonderer Art wie Bekleidung, spezielle Schmieröle, Verbandstoffe, Arzeneien, Seekarten und, in den Jahren kurz vor dem Kriege, Funkanlagen wurden den Auslandskreuzern durch Reichspostdampfer oder ähnliche Schiffe aus der Heimat zugeführt.

Die Überlegungen und Vorarbeiten des Admiralstabes für den Einsatz von Auslandskreuzern, Hilfskreuzern und Hilfsschiffen im Falle eines Krieges, die erstmalig 1892 angestellt wurden, ließen die Abhängigkeit der Kommandanten dieser Schiffe in ihren operativen Entschlüssen von dem Nachschub besonders für die Waffe Geschwindigkeit erkennen.

1894 erwog das Oberkommando der Kriegsmarine daher den Aufbau einer „Etappe", die den Auslandskreuzern im Kriegsfalle aus dem neutralen Auslande den erforderlichen Nachschub an Kriegsbedürfnissen zuführen sollte. Als Grundlage für diese Maßnahmen diente zunächst die Annahme eines Krieges mit Frankreich, später mit Frankreich und Rußland und im letzten Jahrzehnt vor dem Kriege eines Krieges mit beiden genannten Ländern und England. Es ist ersichtlich, daß bei solcher Mächtekonstellation die Etappe und damit der Kreuzerkrieg zeitlich gesehen nur eine eng begrenzte Dauer haben konnte. Jedoch müssen diese Maßnahmen unter dem Gesichtspunkt des erhofften kurzen Krieges gesehen werden.

Solche Etappenstationen wurden in USA, Westindien, Brasilien, La Plata, in Westafrika, Tsingtau, China, Japan, Batavia, Manila und entlang der Ostküste Amerikas geschaffen.

Die Etappenoffiziere waren im allgemeinen aktive Seeoffiziere oder der Reserve und in einem Falle ein Marine-Zahlmeister. Der Standort des Etappenoffiziers war der Hauptort der Etappe. Die Mitglieder waren auf die wichtigsten Seeplätze der Etappe verteilt. Der Etappenoffizier entschied über die Art, die einzuschlagenden Wege sowie über die Reihenfolge der Lieferungen an die Auslandskreuzer. Er traf ferner die allgemeinen Anordnungen für die Anforderung und Ausrüstung der Hilfsschiffe, die den Nachschub aufzunehmen und den Auslands- und Hilfskreuzern zuzuführen hatten. Er hatte schließlich als Hilfskreuzer geeignete Handelsschiffe auszuwählen und sie dem Kreuzergeschwader des Grafen Spee zuzuweisen.

Die kaufmännischen und technischen Mitglieder der einzelnen Etappen waren meist Vertreter deutscher Reedereien oder Handelsfirmen in dem betreffenden Lande. Sie beschafften auf Grund ihrer Geschäftsverbindungen die erforderlichen Hilfsschiffe, die für die Beladung bestimmten Kohlen und sonstigen Materialien. Sie führten die Verfrachtung durch, sorgten für eine ausreichende Besatzung der Schiffe, für die Ausklarierung, für die Gestellung von Superkargos und waren für die Rechnungslegung verantwortlich.

Vor dem Kriege war durch besondere Abkommen mit deutschen Reedereien und Handelskreisen für eine ständige Unterhaltung von Kohlenlagern bestimmten Umfangs in den Häfen der Etappenstationen Vorsorge getroffen worden. Ferner lagerten in zahlreichen dieser Häfen sonstige für Kriegsschiffe wichtige Materialien, darunter auch Kartenausrüstungen für Hilfsschiffe.

2. Etappe Tsingtau

Eine besonders wichtige Aufgabe für die Versorgung und den Nachschub der Auslandskreuzer hatte Tsingtau. Es wurde am 14. 11. 1897 nach der Ermordung von zwei deutschen Missionaren für 99 Jahre von China gepachtet und wurde als einziger Platz der deutschen Kolonien festungsartig ausgebaut.

In Tsingtau lagerten für die Auslandskreuzer 32 000 t Kohlen. Hiervon wurden 19 000 t, ferner Proviant, lebendes Vieh, Sanitätsmaterial und Barrengold auf 12 Hilfsschiffen für das Kreuzergeschwader des Grafen Spee in Marsch gesetzt. Aus diesen Schiffen ergänzte Graf Spee bei den Marianen erstmalig seine Bestände. Am 31. 7. 14 lief Kreuzer „Emden", Kommandant Fregattenkapitän v. Müller, aus Tsingtau aus. Bei Tsushima kaperte er den russischen Dampfer „Rjäsan", der anschließend von Korvettenkapitän Zuckschwerdt mit den Besatzungen von „Cormoran" und Teilen der „Iltis"-Besatzung von der Etappe Tsingtau als Hilfskreuzer „Cormoran" ausgerüstet und in Dienst gestellt wurde; ferner der Hilfskreuzer „Prinz Friedrich Wilhelm" durch Korvettenkapitän Thierichens mit den Besatzungen von „Luchs" und „Tiger".

Die Etappe Tsingtau unterstand dem Korvettenkapitän Sachße. Nach dem Abgang der Versorgungsschiffe war Tsingtau noch mit lebendem Vieh, Lebensmitteln, Fleisch- und Dauerproviant für die europäische und chinesische Bevölkerung Tsingtau's für 6—9 Monate versehen.

Am 27. 8. 14 wurde Tsingtau durch japanische Kriegsschiffe blockiert. Um ein Eindringen in den Hafen zu verhindern, wurden am 10. Oktober die Dampfer „Ellen Rickmers", „Durandart" und „Michael Jebsen", die bereits mit Kohlen für das Kreuzergeschwader beladen waren, in der Hafeneinfahrt versenkt und gesprengt. Es wäre wohl zweckmäßiger gewesen, diese Schiffe mit dem wertvollen Nachschub dem Kreuzergeschwader zuzuführen.

Mehr als 50 000 Japaner kämpften an der Landfront von Tsingtau gegen etwa 5000 deutsche Soldaten, darunter das Maschinenpersonal des Stamm-Marineteils, der Fluß- und Kanonenboote sowie des österreichischen Kreuzers „Kaiserin Elisabeth". Am 7. 11. 1914 erfolgte nach dem Aufbrauch der Artilleriemunition die Übergabe von Tsingtau. Damit fiel auch die „Etappe Tsingtau" für die Versorgung der Auslandskreuzer weg.

3. Nachschub der Auslandskreuzer und Hilfskreuzer

In Tsingtau lagerte ferner eine volle kriegsmäßige Munitionsausrüstung für das Kreuzergeschwader, die zweite Chargierung. Die Bereitstellung eines Munitionsdampfers für das Kreuzergeschwader war eigenartigerweise unterlassen worden. Auch wenn mit einem kurzen Krieg gerechnet wurde, so bleibt es doch unverständlich, weshalb ein Nachschub von Munition für das Geschwader des Grafen Spee nicht vorgesehen war, zumal diese Munition für die Landgeschütze von Tsingtau nur teilweise geeignet war. Sie mußte für diese Verwendung nach der Einschließung von Tsingtau in langwieriger Arbeit durch Abschleifen der Führungsringe und Änderung der Kartuschgewichte umlaboriert werden.

Auch aus der Heimat ist es zu einem Nachschub von Munition für das Auslandsgeschwader nicht gekommen. Nach der Schlacht bei Coronel am 1. 11. 14 hatten die beiden Panzerkreuzer „Scharnhorst“ und „Gneisenau“ etwa die Hälfte ihrer 21-cm-Granaten verschossen, sämtliche Schiffe etwa ein Drittel ihrer Munition für die leichteren Geschütze. Da das Flaggschiff des Grafen Spee mehr Munition verschossen hatte, wurde ein Munitionsausgleich zwischen den Schiffen angeordnet. Er fand ab 21. 11. 14 in der St. Quentin-Bucht an der chilenischen Küste statt. Der Nachschub an Munition wurde nun dringend. Gefechte selbst mit schwächeren feindlichen Streitkräften mußten bald zum vollkommenen Aufbrauch der Munition führen. Dann aber blieb nichts weiter übrig, als die Schiffe zu versenken oder internieren zu lassen.

Leichtere englische Seestreitkräfte mußte man in den Falklands vermuten. Der spätere Großadmiral Dr. h. c. Raeder schreibt in „Der Kreuzerkrieg in den ausländischen Gewässern“ I. Band, daß in der Sitzung der Kommandanten des Kreuzergeschwaders vor der Falklandschlacht entschieden wurde, einem artilleristisch überlegenen Gegner (Canopus) nach Möglichkeit auszuweichen. Er fährt dann fort: „Ungünstigstenfalls wurde mit der Anwesenheit von ‚Defence‘, ‚Carnarvon‘, ‚Cornwall‘, ‚Glasgow‘ und ‚Bristol‘ außer ‚Canopus‘ gerechnet.“ Graf Spee rechnete also mit der Anwesenheit von 3 gleichaltrigen Panzerkreuzern — gegen 2 des Grafen Spee —, mit 2 modernen Kleinen Kreuzern — gegenüber 3 älteren deutschen Kreuzern — und einem älteren Linienschiff. Für ein solches Gefecht konnte die Munition des Geschwaders zweifellos nicht ausreichen. Durch ein Telegramm, das das Geschwader in Port Santa Elena erreichte, fragte das Oberkommando der Kriegsmarine an, wohin der Nachschub an Munition gesandt werden sollte. Der dafür vorgesehene Munitionsdampfer sollte in der zweiten Dezemberhälfte 1914 klar zum Auslaufen aus der Heimat sein. Er konnte das Geschwader frühestens Mitte Januar 1915 erreichen. Zu dieser Entsendung ist es infolge der Vernichtung des Geschwaders bei den Falklandinseln nicht mehr gekommen. Ausländische Seeoffiziere haben nach dem Kriege hart, aber zutreffend geurteilt, daß das Geschwader infolge des Fehlens von Munitionsnachschub bereits vor dieser Schlacht zum Sterben verurteilt war.

Nach der Vernichtung des Geschwaders des Grafen Spee mit den Panzerkreuzern „Scharnhorst“ und „Gneisenau“ und den Kleinen Kreuzern „Dresden“, „Leipzig“ und „Nürnberg“ sowie der Kleinen Kreuzer „Emden“, „Karlsruhe“ und „Königsberg“ befanden sich keine deutschen Kriegsschiffe mehr auf den Ozeanen außerhalb der Heimat. Hilfskreuzer setzten den Kaperkrieg in ausländischen Gewässern mit unterschiedlichem, z. T. gutem Erfolg fort. Auch sie hatten unter dem immer schwieriger werdenden Nachschub an Kohlen zu leiden. Hinzu kamen, wie zuvor bei dem Kreuzergeschwader, die außerordentlichen Schwierigkeiten der Kohlenübernahme in See bzw. in entlegenen Buchten. Diese Kohlenergänzungen dauerten meist mehrere Tage, in einem Falle sogar mehrere Wochen hintereinander! Sie beanspruchten die Besatzungen bis zum Äußersten. Infolge Schlingerns der Schiffe während der Übernahme beschädigten sich die Schiffe oft erheblich. Aufbauten der Schiffe wurden zerstört, die Außenhaut der Schiffe aufgerissen, Schiffsschrauben verbogen usw.

Nach den Erfahrungen des russisch-japanischen Seekrieges wäre es notwendig gewesen, dem Kreuzergeschwader — da es als Verband eingesetzt wurde — unter den zahlreichen Nachschubschiffen außer einem Munitionsdampfer auch ein Werkstattschiff mitzugeben. Ein solches Schiff hätte die während der Kohlenübernahmen wiederholt entstandenen schiffbaulichen Schäden sowie die Beseitigung der normalen Maschinenstörungen übernehmen können. Das russische Werkstattschiff „Kamschatka“, das die russische Flotte bis Tsushima begleitete, hatte sogar Caissons zur Reparatur von Unterwassertreffern an Bord, eine Einrichtung, die sich während des Krieges in der Türkei bei derartigen Reparaturen, z.B. an der „Goeben“, ebenfalls bewährte. Ein Werkstattschiff hätte den Kohlenmangel durch das Aufschneiden der Kohlenbunker von gekaperten Schiffen mildern können, deren Kohlenvorräte auf andere Weise nicht zu entnehmen waren. Schließlich und vor allem mußte doch in einem Kriege mit der Notwendigkeit gerechnet werden, Gefechtsschäden zu beheben.

Durch den Druck der englischen Regierung auf die neutralen Staaten wurde es den Etappenstationen bald unmöglich, den geforderten Nachschub in Marsch zu setzen. Als erste fielen die Etappenstationen in Japan Mitte August 1914 aus, Ende November 1914 konnte auch die Etappe New York nicht mehr liefern. Brasilien, Argentinien, Uruguay und bald auch Chile ließen von Ende 1914 bzw. Anfang 1915 keine Schiffe mehr aus ihren Häfen auslaufen, die möglicherweise als Nachschubschiffe für deutsche Hilfskreuzer verwendet werden konnten. Die Etappe Westafrika Las Palmas war für die deutschen Kreuzer von besonderer Bedeutung. Es gelang, mehrere Schiffe mit Kohlen und anfangs auch mit Lebensmitteln zu entsenden. Im März 1915 kam jedoch auch diese Etappe durch englischen Druck zum Erliegen.

Diese antilogistischen Maßnahmen der englischen Regierung hatten daher eine wesentliche Wirkung auf den deutschen Seekrieg mit Kreuzern und Hilfskreuzern.

Die Etappenoffiziere haben ihre Aufgabe mit Hingabe und Umsicht erfüllt.

Die Kommandanten der Kreuzer und Hilfskreuzer mußten ihre operativen Überlegungen und Maßnahmen in erster Linie in Abhängigkeit von den Kohlenbeständen ihrer Schiffe treffen. Sie suchten mit vollen Bunkern vielbefahrene Dampferlinien auf in der Hoffnung, dort Frachtschiffe mit Kohlenladungen anzutreffen und kapern zu können. Sie zogen sich mit solcher Beute in Meeresteile oder Buchten zurück, die selten von Schiffen befahren wurden und die Kohlenübernahme gestatteten. Eine mehrere Tage anhaltende günstige Wetterlage war für die Kohlenübernahme eine weitere Voraussetzung. Ähnlich wie die russische Flotte auf ihrem Marsch nach Tsushima wurden auf den deutschen Kriegsschiffen außer in den Bunkern zusätzliche Kohlen in den Seitengängen, in den Heizräumen, auf dem Achter- und Vorschiff und auf dem Oberdeck gelagert, um den Aktionsradius zu vergrößern.

Wenn die gegnerische Kriegsleitung allen Frachtdampfern mit Kohlen- bzw. Lebensmittelladungen generell befohlen hätte, sich im Falle unabwendbarer Kaperung durch deutsche Schiffe selbst zu versenken, so wäre der deutsche Kreuzerkrieg wahrscheinlich noch schneller zum Erliegen gekommen. Antilogistische Maßnahmen dieser Art können in einem Kriege von großer Bedeutung sein.

Unter den geschilderten Verhältnissen standen die deutschen Auslands- und Hilfskreuzer auf verlorenem Posten. Sie haben trotzdem in der Gesamtheit ein Mehrfaches der von deutscher Seite eingesetzten Tonnage versenkt und darüber hinaus durch ihr unvorhersehbares Auftreten und Wiederverschwinden in den Weiten der Ozeane die Seewege für die feindliche Handelsschiffahrt unsicher gemacht und den Seeverkehr dadurch oft für längere Zeit in bestimmten Meeresteilen zum Schaden der gegnerischen Kriegführung gelähmt.

Die Geschichte des Kreuzerkrieges im 1. Weltkriege ist die Geschichte des Nachschubs vor allem an Kohlen.

Es bleibt die Frage, ob es mit den damaligen technischen Mitteln möglich gewesen wäre, den Kreuzerkrieg sinnvoller zu gestalten. Die Kohle war der einzige Betriebsstoff der Kesselanlagen der deutschen Kreuzer. Das Heizöl war erst im Kommen und fand nur in einem der fünf Kesselräume des Kreuzers „Karlsruhe" Verwendung. Durch diese Ölzusatzfeuerung wurde sowohl der Aktionsradius erhöht als auch die Höchstgeschwindigkeit beim Sichten eines Gegners schneller erreicht. Der Einbau solcher Ölzusatzfeuerung für ein bis zwei Kesselräume wäre für alle Auslandskreuzer der damaligen Zeit vorteilhaft gewesen. Einschränkend ist aber darauf hinzuweisen, daß Öltanker von deutschen Kriegsschiffen nur selten angetroffen wurden, so daß eine wesentliche Ergänzung von Heizöl aus gekaperten Schiffen nicht möglich gewesen wäre. Dagegen hätten die großen Heizölvorräte der Standard Oil Cie. in Tsingtau für das Kreuzergeschwader für einige Monate gereicht. Vorbereitungen dieser Art waren nicht getroffen worden. Die Werft in Tsingtau konnte den Einbau der Heizölzusatzfeuerungen nebst Pumpen in kurzer Zeit durchführen, wenn die erforderlichen Teile aus der Heimat geliefert worden wären. Dagegen ist es nicht sicher, daß es mit den begrenzten Mitteln dieser Werft möglich gewesen wäre, öldichte Bunker herzustellen. Am 29. 10. wurden die Öllager der Standard Oil Cie. in Brand geschossen.

Bei der Beurteilung der Möglichkeiten der Auslandskreuzer ist ferner zu bedenken, daß die Maschinenanlagen — vor allem die Kessel — einer Dauerbeanspruchung wie sie z. T. im Verlaufe des 2. Weltkrieges erreicht wurde, noch nicht gewachsen waren. Es traten Störungen an Haupt- und Hilfsmaschinen auf, die aber stets, mit einer Ausnahme auf „Königsberg", mit Bordmitteln behoben werden konnten. Während der Beseitigung dieser Störungen war die volle Gefechtsbereitschaft nicht gesichert. Kesselstörungen, besonders Rohrreißer, traten häufiger auf und setzten die Höchstgeschwindigkeit für einige Stunden herab. Die innere und äußere

Reinigung der Kessel konnte von dem Maschinenpersonal allein nicht bewältigt werden, so daß Geschützbedienungen zur Hilfeleistung abgeteilt werden mußten. Weitere Schwierigkeiten traten durch den schnellen Verschleiß der Kesselmauerungen und der Zinkschutzplatten auf, es fehlte an Schamottesteinen, Schamotteerde und Zinkschutzplatten, Materialien, deren Notwendigkeit vorauszusehen war und die ein Werkstattschiff in großen Mengen mitführen konnte. Auch die häufig notwendigen Reparaturen der Dampflenzpumpen, die durch die Kohlenzuladungen in den Heizräumen besonders hoch beansprucht wurden, hätten von einem Werkstattschiff übernommen werden können. Ebenso fehlte es auf den Kriegsschiffen für die Aschejektoren und deren Krümmer an Ersatzteilen. Diese logistischen Notwendigkeiten waren schon im Frieden bekannt. Die ungenügende Einschaltung der Ingenieuroffiziere für die Mobilmachungsvorbereitungen wirkte sich ungünstig aus. Die in den Tropen — auch für die Munition — besonders wichtigen Eismaschinen waren ihrer Konstruktion nach den Anforderungen nicht gewachsen.

Die häufigste Einschränkung der Gefechtsbereitschaft entstand aus der laufend notwendigen inneren Reinigung der Kessel. Erst zwischen den beiden Kriegen und während des 2. Weltkrieges wurde eine Pflege des Kesselspeisewassers entwickelt, die solche Kesselreinigungen weitgehend überflüssig machte und dadurch die Gefechtsbereitschaft der Maschinenanlagen erhöhte.

4. Kreuzer „Königsberg"

Wegen des vielseitigen logistischen Einsatzes des Maschinenpersonals sei der Kreuzer „Königsberg" erwähnt. Nach der Versenkung des englischen Kreuzers „Pegasus" lief „Königsberg" infolge Kohlenmangels am 20. 9. 1914 zum zweiten Male und damit endgültig in die Mündung des Rufiji ein und wurde hier schließlich durch überlegene englische Seestreitkräfte am 11. 7. 1915 vernichtet. Sämtliche zehn 10,5-cm-Geschütze sowie ein Scheinwerfer blieben gebrauchsfähig und wurden unter schwierigsten Verhältnissen in Teile zerlegt nach Daressalam transportiert. Dort befand sich eine Werft des Gouvernements mit Dock, Slip, Bootsbau, Gießerei, Maschinenwerkstatt und Schmiede. Mit Hilfe dieser Werkstatt stellte das Maschinenpersonal von „Königsberg“ zunächst den Scheinwerfer zur Hafenverteidigung auf. Während das Stahlgerüst für den Scheinwerferstand gebaut wurde, tauchten technische Deckoffiziere und Unteroffiziere auf „Königsberg“ und bauten in schwieriger Arbeit unter Wasser einen Scheinwerferumformer aus. Durch Seewasser war er unbrauchbar geworden und wurde nun in Daressalam zerlegt und durch wiederholtes Waschen in Süßwasser vom Salz befreit. Jedoch waren beim Ausbau aus dem Schiff einige Wicklungen des Umformers zerstört worden, so daß als Ersatz für diese Wicklungen ein anderer Umformer aus dem Kreuzer herausgetaucht werden mußte. Ende August 1915 konnte der Leitende Ingenieur des Kreuzers den Scheinwerfer auf dem von ihm erbauten Stahlgerüst aufstellen und in Betrieb nehmen. Ferner fertigte das Maschinenpersonal unter Leitung der Ingenieuroffiziere die Lafetten für sieben 10,5-cm-Geschütze, versah diese Geschütze mit Schutzschilden und baute Telefonleitungen über große Entfernungen. Hierbei mußte mangels sonstigen Materials Stacheldraht als Telefonkabel verwendet werden. Da es an Isolatoren fehlte, wurden aus den Lasten des Kreuzers durch Taucher Flaschen herausgeholt und die Flaschen bzw. Flaschenhälse als Isolatoren verwendet. Unter Leitung des ehemaligen Maschinistenmaaten Hübner — damals Ingenieur der Fa. Ph. Holzmann — erbaute das Maschinenpersonal des Kreuzers den größten Dampfer auf dem Tanganjikasee „Götzen“, der für die Seekriegführung auf diesem See gegen englische und portugiesische Schiffe Verwendung fand. Es baute ferner Geschütze nebst Unterbauten auf diesem Schiff ein. Maschinenpersonal des Kreuzers übernahm ferner die Leitung der Werft Kigomo am Tanganjika und verbesserte u. a. die Geschwindigkeit des Dampfers „Kingami“ von 8 kn auf 10,5 kn, eine Maßnahme, die sich für die Seekriegführung auf dem Tanganjika vorteilhaft auswirkte.

Nach Erledigung dieser und zahlreicher anderer logistischer Aufgaben und nach Aufgabe von Daressalam kam das Maschinenpersonal des Kreuzers an der Front zum Einsatz. In dem Werk des Marinearchivs „Die Kämpfe der Kaiserlichen Marine in den deutschen Kolonien“ von Konteradmiral Assmann wird der besondere Schneid dieses Personals an zahlreichen Stellen rühmend hervorgehoben. Der Leitende Ingenieur Schilling übernahm von Kapitänleutnant Apel die Stammabteilung „Königsberg". Ein anderer Ingenieuroffizier des Kreuzers zeichnete sich wiederholt als Kompanieführer mit seiner Kompanie aus. Beim Sturm auf die portugiesische Stellung Newala am 8. 9. 16 vollbrachte der Obermaschinist Schmiedle als Geschützführer eines 10,5-cm-Geschützes der „Königsberg" eine einmalige Tat. Er zog mit seinen Leuten das zerlegte Geschütz unter 35 Grad Steigung 350 m auf einen Berg hinauf und konnte das Geschütz aus dieser beherrschenden Stellung mit so vollem Erfolg zum Einsatz bringen, daß der Gegner seine Stellungen aufgeben mußte.

Durch den Dampfer „Rubens" wurde versucht, Kriegsbedarf für die Schutztruppe sowie Kohlen und Munition für Kreuzer „Königsberg" heranzubringen. Der ursprünglich englische Dampfer „Rubens" — 3500 BRT — war zunächst für den Nachschub von Munition usw. für das Kreuzergeschwader des Grafen Spee hergerichtet worden, kam jedoch infolge der Vernichtung des Kreuzergeschwaders hierfür nicht zum Einsatz. Er verließ Wilhelmshaven am 18. 2. 1915 und erreichte Ostafrika am 14. 4. Da die Waffen und die Munition für die Schutztruppe dringend gebraucht wurden, gab der Kommandant des Kreuzers „Königsberg", Fregattenkapitän Loof, „Rubens" durch Funkspruch Befehl, zunächst Tanga anzulaufen. Beim Ansteuern der Mansa-Bucht wurde das Schiff durch den englischen Kreuzer „Hyacinth" erkannt und beschossen. „Rubens" erreichte in der Bucht eine geeignete Stelle, an der das Schiff durch Öffnen der Bodenventile versenkt wurde. Im Laufe der nächsten fünf Wochen wurde in angestrengter Arbeit durch Taucher des Maschinenpersonals von „Königsberg" und „Möwe" ein erheblicher Teil der Ladung geborgen, insbesondere Geschütze, Handwaffen, Munition, Lagerausrüstung und Bekleidung in noch kriegsbrauchbarem Zustande. Die für „Königsberg" bestimmte Kohlenladung konnte nicht geborgen werden.

Zusammenfassend kann festgestellt werden, daß wiederum aus kriegsbedingten Gründen und zum Nutzen der Kriegsführung in Deutsch-Ostafrika Reparatur- und Ausrüstungsstellen durch das Maschinenpersonal deutscher Kriegsschiffe geschaffen wurden.

Nach der Versenkung des Dampfers „Rubens" schlug das Kolonialministerium dem Oberkommando der Kriegsmarine vor, einen Dampfer im Zusammenwirken mit einem U-Boot nach Ostafrika zu entsenden. Der Antrag wurde vom Oberkommando der Kriegsmarine abgelehnt.

Anfang 1916 wurde ein zweites Nachschubschiff nach Ostafrika entsandt. Dieser ehemals englische Dampfer „Dacre Hill" (2674 BRT) hatte als Hilfskreuzer „Marie" Waffen, Munition und sonstige Kriegsbedürfnisse für die Schutztruppe geladen. Die Löschung der Ladung erfolgte ohne Störung durch den Feind vom 19. bis 27. 3. 1916 in der Ssudi-Flußmündung. Der Hilfskreuzer wurde hier am 11. und 15. 4. von englischen Kriegsschiffen beschossen und erhielt sechs 14-cm-Treffer und 180 5-cm-Treffer. Es gelang jedoch, die zum Teil schweren Beschädigungen soweit zu beseitigen, daß das Schiff wieder seefähig wurde, wobei das Maschinenpersonal des Kreuzers „Königsberg" wertvolle Hilfe leistete. In der Nacht vom 22. zum 23. 4. glückte es dem Kommandanten, mit dem Schiff nach Batavia zu entkommen.

Die beabsichtigte Entsendung zweier weiterer Nachschubschiffe unterblieb in der Annahme, daß eine Löschung der Ladung an der ostafrikanischen Küste der Kolonie nicht mehr möglich sei.

Ein für den Nachschub der Schutztruppe besonders konstruiertes Luftschiff wurde — bereits über Oberägypten stehend — infolge einer Falschmeldung über den Verlust der Kolonie zurückgerufen.

E. Nachschubaufgaben in der Ostsee

1. Organisation der Handelsschiffahrt

Im Herbst 1914 wurde in Verfolg der Operationen des Heeres in Ostpreußen der Transport von Truppen erwogen. Sieben beschlagnahmte englische größere Dampfer wurden hierfür hergerichtet und von der Kriegsmarine von Hamburg nach Danzig überführt. Spezielle Boote und Geräte für die Landung der Truppen lieferte das Pionier-Bataillon 9 in Harburg. Die Schiffe wurden jedoch nicht verwendet. Einige dieser Schiffe wurden 1916 zum Transport von Tieren der „Schiffahrtgruppe" in der Eisenbahnabteilung des stellvertretenden Generalstabes zugeteilt.

Nach der Eroberung von Kurland im Sommer 1915 charterte die Seetransportabteilung der Kriegsmarine nach Bedarf Dampfer und stellte sie den in Frage kommenden Heeresteilen zur Verfügung. Bald darauf wurden 15 dieser Schiffe, ferner Schlepper und Leichter dem Gouvernement Libau unterstellt und in einer „Wassertransportabteilung“ zusammengefaßt. Sie führte die Versorgung der Front mit allen Kriegsbedürfnissen und Kohlen durch und beförderte Truppen; als Rückfracht nahmen die Schiffe Landesprodukte und Sparmetalle als Kriegsbeute sowie Holz in größeren Mengen nach Deutschland mit. Im Winter 1915/16 betrug die monatliche Ladungsmenge etwa 50 000 t.

Die zunehmende Überlastung der Eisenbahn führte im Frühjahr 1916 zur Versetzung des Leiters der Wassertransportabteilung, Kapitänleutnant d. Res. Ulderup, nach Berlin, wo er zusätzlich zunächst die Ausnutzung der Flüsse und Kanäle hinter der Ostfront und schließlich sämtlicher Binnenwasserstraßen bis hin zum Schwarzen Meer übernahm. Ulderup leitete die „Schiffahrtsabteilung“ beim Chef des Feldeisenbahnwesens. Die Bereederung dieser Schiffe erfolgte durch die „Vereinigte Bugsier- und Dampfschiffahrt-Gesellschaft“ in Hamburg. Die Zahl der seegehenden Schiffe dieser Abteilung stieg im Laufe der Kriegsjahre auf etwa 50 große Schiffe.

Die Versorgung der Seestreitkräfte und sonstigen Marineteile in der Ostsee mit Kriegsbedürfnissen erfolgte dagegen durch die Kriegsmarine. Die nicht militärischen Transporte zwischen Deutschland und den skandinavischen Ländern blieben in der Hand der Reedereien. Hierbei handelte es sich im wesentlichen um Transporte großer Mengen Erz, ferner Pferde, Lebensmittel und Holz, wofür Deutschland Kohlen lieferte. Aus Schweden wurden jährlich mehr als 4 Millionen Tonnen Erz eingeführt. In Verbindung mit der Zentralisierung der Binnenwassertransporte und des Eisenbahnverkehrs wurde 1917 ein militärisch geleiteter „Schiffsausgleich“ eingeführt, der die einkommenden Schiffe auf weniger belastete Häfen verteilte. Auch die Versorgung dieser Schiffe mit Personal, Brennstoff usw. ging auf die Dienststellen der „Schiffahrtsabteilung“ über.

Der Schutz der Schiffahrt in der Ostsee oblag der Kriegsmarine. Nach dem Waffenstillstand mit Rußland im Winter 1917/18 fielen diese Sicherungsmaßnahmen im wesentlichen fort.

2. Die Öselunternehmung

Im 1. und 2. Weltkriege sind die baltischen Inseln zweimal von deutschen Truppen besetzt und wieder geräumt worden. Hierüber berichtet Walter Melzer in „Kampf um die baltischen Inseln 1917 — 1941 — 1944." (= Die Wehrmacht im Kampf, Band 24)

Hier sollen daher im wesentlichen nur die von der Kaiserlichen Marine mit Energie und Sachkenntnis getroffenen Vorbereitungen für die Transporte der Truppen- und Nachschubgüter und ihre Durchführung skizziert werden. Die Seetransportabteilung der Kriegsmarine hatte im Juli 1917 den Auftrag zur unauffälligen Vorbereitung von Truppenverschiffungen erhalten. Aus Geheimhaltungsgründen konnte sie jedoch nur solche Maßnahmen treffen, die nach außen nicht auffielen. Erst als am 3. 9. 1917 der Befehl zur Bereitstellung der Transportschiffe, Hilfsfahrzeuge und des Materials für den 18. 9. einging, wurden die Schiffe mit Hilfe der Werften Blohm u. Voss, Vulcan, Reiherstieg in Hamburg, Tecklenburg in Geestemünde und des Technischen Betriebes des Norddeutschen Lloyd Bremerhaven fahrbereit gemacht und mit den nötigen Einbauten versehen. Den Schiffen fehlten u. a. zahlreiche Maschinenteile, die zunächst gegossen, bearbeitet und eingebaut werden mußten. Ebenso fehlte das Personal zur Besetzung der Schiffe. Es war daher eine außerordentliche Leistung der Kriegsmarine, daß es gelang, die Schiffe forderungsgemäß zum 23. 9. nach Libau zu überführen. Es handelte sich um folgende größere Schiffe verschiedener Schiffahrtsgesellschaften:

„Bahia Castillo" (9949 BRT), „Buenos Aires" (9768 BRT), „Batavia" (11515 BRT), „Badenia" (6930 BRT), „Friedrichsruhe" (8332 BRT), „Gießen" (6964 BRT), „Scharnhorst" (8388 BRT), „Cassel" (7642 BRT), „Schleswig" (6955 BRT), „Chemnitz" (7542 BRT), „Hannover" (7305 BRT), „Frankfurt" (7431 BRT), „Orion" (3171 BRT), „Borderland" (1753 BRT), „Sangara" (2497 BRT) und „Coralie Horlock" (3920 BRT). Zu diesen großen Transportern kamen 4 kleinere Dampfer für die Landung der Vortruppen, zahlreiche Schlepper, Leichter, Lazarettschiffe, Flugzeugmutterschiffe, Kohlen-, Heizöl- und Wasserversorgungsschiffe und eine Bergungsgruppe.

Durch schlechtes Wetter verzögerte sich die Aktion bis 11. 10., so daß es möglich war, die personelle und materielle Bereitschaft zu vervollständigen.

Die Truppenlandungen stützten sich auf folgende Seestreitkräfte: 11 Großkampfschiffe, 8 Kleine Kreuzer, 5 Torpedoboots-Flottillen zu je 11 Booten, 5 U-Boote, mehrere Minensuch- und Minenräumverbände, eine U-Bootsuchflottille, Sperrbrecher, Sonderfahrzeuge, mehrere Netzdampfer usw., mehr als 200 Fahrzeuge.

Die Kriegsschiffe nebst Troß unterstanden dem Befehl des Vizeadmirals Erhard Schmidt, die Truppen dem General v. Hutier. Die Stärke der Landungstruppen betrug etwa 25 000 Offiziere und Mannschaften, ferner 8000 Pferde, 2500 Fahrzeuge unterschiedlichster Art mit allen erforderlichen schweren und leichten Waffen bis zu 21-cm-Geschützen und sonstigem Kriegsbedarf.

Die Überführung erfolgte in der Masse mit der 1. Staffel am 11. 10., ein kleinerer Teil folgte auf einem Teil derselben Schiffe am 19. und 20. 9. 17.

Das kriegsmäßige Fahren der Transportflotte im Verbande machte einige Schwierigkeiten, da es an Signalmitteln fehlte. Infolge Mangels an Zeit waren keine Signalrahen angebracht worden, auch fehlten elektrische Signallampen und Signalscheinwerfer; die funkentelegrafischen Einrichtungen der Schiffe konnten nicht benutzt werden, da kein Personal hierfür vorhanden war.

Die Schiffe waren so ausgesucht worden, daß auch schweres Gerät bis zu einem Gewicht von etwa 15 t mit den Ladeeinrichtungen der Schiffe ver- und entladen werden konnte. Schiffsboote, Pferdeboote, Schuten, Brückenbaumaterial war so auf die Schiffe verteilt worden, daß bei Verlust eines Schiffes nicht der Gesamtverlust eines Truppenteils oder wichtiger Materialien eintrat. Von der Donau waren 30 Pferdeboote herantransportiert worden; jedes dieser Boote konnte 8—10 Pferde bzw. eine 15-cm-Haubitze mit Protze tragen. Zur schnellen Entladung der Transporter waren ferner 23 Hafenschuten mitgenommen worden, die für die Landung aufklappbare Rampen erhalten hatten ähnlich wie die Marinefährprähme des 2. Weltkrieges. Um das schnelle Verbringen dieser schwimmenden Lastfahrzeuge von den Transportschiffen zu den Anlandestellen zu beschleunigen, waren 25 Schleppboote, 30 Motorruderbarkassen der Kriegsmarine sowie 10 Minenräumboote vorgesehen.

Für die Anlandung der schweren Geräte wurden von den Pionieren sofort nach Niederkämpfung der russischen Batterien durch die schwere Schiffsartillerie der deutschen Kriegsschiffe in der Taggabucht Brücken gebaut. Jedoch erwiesen sich die Wegeverhältnisse in das Innere der Insel als so schwierig, daß ein Teil der Massengüter nach der Besetzung von Ahrensburg dort ausgeladen wurde.

SMS „Bayern“ und „Großer Kurfürst“ liefen auf Minen und wurden am 14. 9. zur Reparatur in die Werft entlassen. Die Transportflotte beförderte anschließend Kriegsgefangene, Beutegüter und Austauschtruppen; am 13. 11. 17 wurde sie aufgelöst.

Das Gelingen dieser großen amphibischen Operation ist in erster Linie das Verdienst der Kaiserlichen Marine; Heer und Marine hatten hervorragend zusammengearbeitet.

3. Überführung der „Ostseedivision“ nach Finnland

Anfang April 1918 wurde die „Ostseedivision“ in Stärke von 392 Offizieren, 9750 Mannschaften, 3480 Pferden und 1133 Fahrzeugen nach Finnland überführt. Ein Teil der für die Öselunternehmung hergerichteten Transportschiffe fand hierbei wieder Verwendung. Bereits sieben Tage nach Eingang des Befehls standen folgende Transportschiffe bereit: „Bahia Castillo“, „Buenos Aires“, „Badenia“, „Cassel“, „Schleswig“, „Chemnitz“, „Hannover“ und „Frankfurt“. Als neue Schiffe traten hinzu: „Habsburg“ (6437 BRT) und „Altenburg“ (6742 BRT).

Die Überführung verlief ohne besondere Vorkommnisse. Die Ausschiffung der Truppen erfolgte durch Schlepper und Torpedoboote vor dem Hafen von Hangö, wobei die Eisverhältnisse vor und im Hafen das Tempo verlangsamten. Nach der Ausschiffung der Truppen gingen die Schiffe in den Hafen und entluden am Kai. Allerdings standen für die Löschung des Schwergutes nur 3 Liegeplätze zur Verfügung. Die an Bord der Schiffe mitgenommenen 23 Pferdeboote, 4 Hafenschuten, 20 Dampfpinassen und 6 Motorboote wurden nicht gebraucht.

Nach der Entladung wurde die Transportflotte in die Heimat entlassen und dort aufgelöst.

F. Nachschub für die Türkei

1. Militärische und logistische Zusammenhänge

Kurz nach Kriegsausbruch liefen die Kreuzer „Goeben“ und „Breslau“ am 10. 8. 14 in die Dardanellen ein; dorthin waren auch deutsche Handelsdampfer, die sich zur Zeit des Kriegsausbruchs im östlichen Mittelmeer befanden, umgeleitet worden.

Zunächst mußte den beiden Kreuzern beschleunigt Munition zugeführt werden. Da der Weg durch Serbien noch nicht freigekämpft war, wurde die Munition per Bahn über Bukarest nach dem rumänischen Donauhafen Giurgiu gebracht, dort auf Leichter umgeladen, zu dem gegenüberliegenden bulgarischen Hafen Rustschuk gebracht und von dort per Bahn nach Konstantinopel transportiert. Ein recht umständliches Verfahren, das viel Zeit beanspruchte. Aber immerhin gelangte auf diese Art während der ersten sechs Kriegswochen außer dieser Munition wichtiger Nachschub sowie Personal nach der Türkei. In Richtung nach Deutschland wurde auf die gleiche Weise Manganerz befördert.

Gleichzeitig wurde versucht, die Donau für kriegswichtige Transporte auszunutzen; zwei Frachtschiffe mit wertvollem Kriegsgerät fuhren nachts durch die von Serbien beherrschte Donaustrecke; sie wurden jedoch beide von den Serben durch Geschützfeuer versenkt. Weitere Versuche unterblieben. Mitte September entfiel die Möglichkeit, Kriegsmaterial durch Rumänien nach der Türkei zu transportieren infolge der veränderten politischen Haltung dieses Landes.

Am 29. 10. 14 trat die Türkei in den Krieg gegen Rußland ein. Die Notwendigkeit, die Türkei mit Kriegsbedürfnissen aller Art zu versorgen, wurde nun dringend. Rumänien ließ nur noch militärische Personen, die als Kaufleute usw. getarnt waren, durchreisen. Bei diesen Reisen gelang es, kleine Mengen Granatzünder und Ähnliches als Reisegepäck nach der Türkei zu bringen. Man ersieht aus diesen Versuchen, in welchem Maße kriegswichtigste Dinge in der Türkei fehlten. Das entsandte Personal hatte die Aufgabe, die türkischen Kriegsschiffe, die Verteidigungsanlagen an Land, insbesondere an den Dardanellen, schnell in einen Kriegszustand zu versetzen, der eine gewisse Hoffnung auf die Abwehr feindlicher Angriffe zuließ. Ferner mußten Werften, Fabriken, Erz- und Kohlengruben instandgesetzt und ausgebaut werden. Neben zahlreichen Seeoffizieren haben 29 Ingenieuroffiziere während des Krieges im türkischen Marineministerium, als Ausbilder für türkische Offiziere, auf türkischen Kriegsschiffen, als Leiter von Kohlengruben, von Werft- und Reparaturbetrieben bis hin zum Euphrat und Tigris Dienst getan.

Anfang Februar 1915 begann die Forcierung der Dardanellen durch Seestreitkräfte der Entente. Sie verfolgte neben der Entlastung der russischen Front das Ziel, diesen leistungsfähigen Weg für den Nachschub von Kriegsbedürfnissen nach Rußland zu öffnen. Die beiden anderen Wege — über Sibirien und das Weiße Meer — hatten sich als unzureichend erwiesen. Rußland mußte nach den schweren Verlusten in Ostpreußen dringend mit Artillerie und Munition versorgt werden. Erhielt Rußland durch die Dardanellen den geforderten Nachschub, so bedeutete dies den Verlust des Krieges für die Mittelmächte. Das war die Auffassung Churchills, und Sir Roger Keyes erklärte später, daß die Eroberung der Dardanellen den Krieg um mindestens 2 Jahre verkürzt hätte. Nebenbei verfolgte die Forcierung der Dardanellen den antilogistischen Zweck, Deutschland vom türkischen Manganerz abzuschneiden, ohne das es den Krieg nicht lange fortsetzen konnte.

Seit dem 10. 12. 14 wurden die türkischen Forts täglich durch die Seestreitkräfte des britischen Admirals Carden in Stärke von 14 englischen und 4 französischen Großkampfschiffen bombardiert. Auf den benachbarten griechischen Inseln waren ferner 30 000 Mann Landungstruppen bereitgestellt worden. Mitte März wurde Carden durch Admiral de Robeck abgelöst. Vom 18. 3. 15 ab ließ er die türkischen Stellungen durch seine Seestreitkräfte pausenlos angreifen. Er erlitt jedoch so schwere Verluste, daß er die Forcierung aufgeben mußte:

englisches Linienschiff „Agamemnon", Baujahr 1906, 19 000 t, mit 4 — 30,5 cm, 10 — 23,4 cm und 24 — 7,6 cm schwer beschädigt,

englisches Linienschiff „Inflexible", Baujahr 1907, 20 300 t, mit 8 — 30,5 cm und 16 — 10,2 cm mußte auf Strand gesetzt werden,

englisches Linienschiff „Irresistible", Baujahr 1898, 15 250 t, mit 4 — 30,5 cm, 12 — 15 cm und 16 — 7,6 cm sank nach Minentreffer, englisches Linienschiff „Ocean“, Baujahr 1898, 13150 t, mit 4 — 30,5 cm, 12 — 15 cm, 10 — 7,6 cm und 6 — 4,7 cm sank nach Minentreffer,

französisches Linienschiff „Gaulois“, Baujahr 1896, 11300 t, mit 4 — 30,5 cm, 10 — 14 cm, 8 — 10 cm und 20 — 4,7 cm strandete nach Minentreffer,

französisches Linienschiff „Bouvet“, Baujahr 1896, 12000 t, mit 2 — 30,5 cm, 2 — 27,4 cm, 8 — 14 cm, 8 — 10 cm und 14 — 4,7 cm kenterte nach Minentreffer.

Diese erheblichen Verluste traten z. T. durch das Feuer der Steilfeuergeschütze der türkischen Forts ein, vor allem aber durch die Minensperren. Der technische Leiter der Festungskommandantur der Dardanellen, ein Ingenieuroffizier der Kaiserlichen Marine, hatte bei dem Vorgehen der feindlichen Seestreitkräfte am Vortage aus dem Schützengraben, in dem er sich befand, den Eindruck gewonnen, daß diese Kriegsschiffe der von dem türkischen Minenleger „Noustret“ gelegten Sperre auswichen, und legte in der Nacht vor dem letzten Großangriff, der die Forcierung zum Scheitern brachte, 28 Seeminen, die von seinem Personal aufgefischt und wieder instandgesetzt worden waren. Er legte sie aus eigenem Entschluß, lediglich auf Grund der allgemeinen Weisung, sämtliche noch verfügbaren Mittel für den erwarteten Endkampf des nächsten Tages zum Einsatz zu bringen, in geschickter und richtig beobachteter Ergänzung zu der Noustret-Sperre. Der Wirkung dieser Minen war es in besonderem Maße zuzuschreiben daß der bereits erwartete Durchbruch durch die Dardanellen mißlang.

De Robeck brach die Forcierung der Dardanellen ab, und es trat eine relative Pause von etwa 5 Wochen ein. Inzwischen waren auf Drängen der Russen etwa 100000 Mann bereitgestellt worden, und am 25. 4. begannen unter dem Schutz der Schiffsgeschütze sämtlicher Kaliber die Truppenlandungen auf Gallipoli und dem asiatischen Festlande.

2. U-Boote für den Nachschub nach der Türkei

Die Entsendung deutscher U-Boote nach dem Mittelmeer entsprang im März 1915 der Absicht des Admiralstabes, den schwer bedrängten Dardanellen Hilfe zu leisten. Am 25. 4. trat „U 21", Kapitänleutnant Hersing, von Wilhelmshaven den Marsch an und versenkte vor den Dardanellen am 27. 5. die englischen Linienschiffe „Triumph" und „Majestic".

Auf dem Marsch — mehr als 6000 sm — entstand eine wesentliche logistische Schwierigkeit. Das an der spanischen Küste bereitgestellte Treiböl konnte für die Motoren des U-Bootes wegen seines zu hohen Flammpunktes nicht verwendet werden. Auch die Mischung mit dem auf dem U-Boot vorhandenen deutschen Treiböl brachte keinen Erfolg. „U 21" mußte daher zunächst Cattaro anlaufen, um Treiböl zu ergänzen, bevor es seine Fahrt nach Konstantinopel fortsetzen konnte.

Zu der gleichen Zeit, als der Plan entstand, ein großes U-Boot auf dem Seewege nach den Dardanellen zu schicken, wurde auch beschlossen, einige der am 23. 11. 14 in Bau gegebenen kleinen U-Boote von etwa 170 t Verdrängung in zerlegtem Zustande per Bahn nach Pola zu überführen. Sie wurden zwischen dem 20. 3. 1915 und 15. 7. 1915 nach Pola gebracht und dort, um Nachschub nach der Türkei schnellstmöglich überführen zu können, durch ein Sonderkommando, bestehend aus einem Seeoffizier, einem Ingenieuroffizier und einem Marine-Bauführer, zusammengebaut. Die schwierige militärische Lage der Dardanellen erforderte es, auf U-Boote als — zu dieser Zeit — einzig mögliche Nachschubfahrzeuge zurückzugreifen. Die UC-Boote „UC 13—15" und ab September 1915 auch „UC 12" hatten für diese Aufgabe statt der Minenschächte ein besonders konstruiertes Vorschiff erhalten, so daß sie auf ihren Fahrten zur Türkei bis zu 20 t Kriegsbedarf mitnehmen konnten. Es waren also keine großen Mengen, die auf diese Weise versandt werden konnten, aber durch zweckmäßige Zusammenstellung des dringend benötigten Nachschubs — Zünder, Meßfernrohre, Maschinengewehre, Chemikalien usw. — gelang es, das Bestmögliche aus der gegebenen Situation herauszuholen. Erschwerend kam Folgendes hinzu: da der Aktionsradius dieser kleinen U-Boote für Fahrten von Cattaro bis Konstantinopel nicht ausreichte, wurden die Boote bis zur Straße von Otranto geschleppt. Sie liefen dann zur Versorgung mit Betriebsstoffen einen türkischen Stützpunkt in Kleinasien — Budrum, Orak oder Smyrna — an und gingen von dort nach Konstantinopel weiter. Die

Reise Cattaro—Konstantinopel einschließlich der Unterbrechung in dem türkischen Stützpunkt dauerte auf diese Weise etwa 25—30 Tage.

In den zwei Jahren der Kämpfe auf Gallipoli erfolgte ein wesentlicher Teil des Nachschubs für die deutsch-türkischen Landstreitkräfte auf Gallipoli auf dem Seewege von Konstantinopel aus. Der Gegner erkannte die Wichtigkeit dieses Nachschubs und versuchte, ihn durch englische und französische U-Boote zu unterbinden. Sie versenkten im Marmara-Meer das türkische Linienschiff „Heireddin Barbarossa" — früher „Kurfürst Friedrich Wilhelm" —, ein Kanonenboot, 12 Transportdampfer, 59 Segler und sprengten Eisenbahngleise der Uferbahn. Auch hier sind wieder logistische und antilogistische Maßnahmen durcheinander bedingt gewesen.

Nach der erfolgreichen Offensive Mackensens gegen Serbien wurde die Donau im Oktober 1915 als leistungsfähiger Nachschubweg frei. Der Nachschub für die Türken durch U-Boote entfiel damit. Der Kriegsbedarf für die Türkei ging nun auf Schiffen und Schleppzügen auf der Donau bis Rustschuk, wo nach der Türkei verladen wurde. Das Schwarze Meer blieb den Mittelmächten noch verschlossen. Als Rückfracht nahmen diese Donau-Schiffe Getreide, Manganerz, Öle, Bohnen, Eier, Nüsse, Hülsenfrüchte, Ölsaaten usw. mit. Die für diesen Nachschub arbeitende Organisation stand unter der Leitung der Schiffahrtsabteilung des Chefs des Feldeisenbahnwesens.

Nach Wiederherstellung der Eisenbahnen durch Serbien Ende 1915 öffnete sich ein weiterer und vor allem schnellerer Weg für Nachschubtransporte. Diese wesentliche Verbesserung war einer der Hauptgründe für die Aufgabe des Gallipoli-Unternehmens durch die Entente. Hinzu kam der ungenügende Nachschub von Munition und Trinkwasser für die englisch-französischen Truppen auf Gallipoli. Am 16. 1. 1916 wurden die Truppen unter Zurücklassung der schweren Waffen usw. zurückgenommen. Der Nachschubweg durch die Dardanellen zum Schwarzen Meer blieb der Entente bis zum 12. 11. 18 verschlossen. (Siehe Karte)

RUMÄNIEN
DONAU
KRIM
GIURGIU
RUSTSCHUK
KONSTANTA
BULGARIEN
SOFIA
VARNA
SCHWARZES MEER
EISENBAHN
GRIECHENAND
KONSTANTINOPEL
GALLIPOLI
DARDANELLEN
MARMARA-MEER
BOSPORUS
SONGULDAK
INEBOLI
HERAKLEA-GEBIET
ÄGÄISCHES-MEER
TÜRKEI
0
100
200
300
400 KM

3. Türkischer Nachschub von Kohlen und Manganerz

Bis 1916 hatte sich an der türkischen Küste des Schwarzen Meeres eine Schiffahrt größeren Ausmaßes meist mit kleineren Fahrzeugen von Manganerz, Kohlen und Proviant entwickelt. Sie erforderte eine verstärkte Minensuch- und Räumtätigkeit und eine stärkere Bekämpfung der russischen U-Boote entlang der türkisch-bulgarischen Küste bis nach Konstanta (damals noch zu Bulgarien gehörig). Die von Deutschland gewährte Hilfe beschränkte sich aus fabrikatorischen und Transportschwierigkeiten auf wenige Boote und Schlepper. Eine ständige Sorge war die Heranschaffung von Kohlen, vor allem aus Songuldak am Schwarzen Meer nach Konstantinopel. Die monatlich nach Konstantinopel gebrachte Menge erreichte Ende 1915 etwa 34000 t, die jedoch für die kriegswichtigen Betriebe nicht ausreichte. Durch Versenkung der Dampfer „Irmingard", „Radosta" und die schwere Beschädigung des Dampfers „Patmos" durch eine Mine, sank die Kohlenzufuhr erheblich. Ersatzschiffe standen kaum zur Verfügung. Erst im Januar 1918 wurde die Räumung des als Büroschiff verwendeten Dampfers „General" angeordnet. Infolgedessen mußten Kohlen aus Deutschland durch Serbien per Bahn herangebracht werden, wobei aber nur eine durchschnittliche Monatsleistung von 6—7000 t erreicht wurde. Erst nach der Besetzung Rumäniens und dem Waffenstillstand mit Rußland Ende 1917 besserten sich die logistischen Verhältnisse wesentlich. Am 2. 5. 18 ankerte die „Goeben" erstmalig in Sewastopol, und anschließend wurde die große Transportflotte der Russen in Odessa und Sewastopol erfaßt. Vom Mai 1918 ab wurden die Donau und das Schwarze Meer für Nachschubtransporte voll ausgewertet. Das kam vor allem den Manganerztransporten nach Deutschland zugute, während die Lieferungen aus Deutschland infolge der logistischen Überbeanspruchung nur noch gering waren.

Eine wichtige Rolle für die deutsche Waffenindustrie spielte die Beschaffung von Manganerzen aus der Türkei. Nach den Feststellungen der Manganerzgesellschaft in Berlin lagerten versandbereit im Heraklea-Gebiet — 170 km östlich Konstantinopel — etwa 20000 t 45—50%iges Erz. Diese Manganerzgrube hatte ein monatliches Fördervermögen von etwa 3000 t. Die Entfernung bis zur Küste betrug nur 8 km, jedoch mußte das Erz auf Lasttieren dorthin geschafft werden. In Ineboli — 360 km östlich Konstantinopel — konnten 1500 bis 2500 t monatlich gefördert werden. Diese Gruben lagen unmittelbar an der Küste. Der Transport nach Konstantinopel erfolgte meist auf kleinen Segelfahrzeugen. Die Bahn von Konstantinopel nach Deutschland konnte monatlich 3—5000 t Manganerz leisten. Bei diesen kriegswichtigen Lieferungen standen stets die Transportfragen im Vordergrund.

G. Zusammenfassende Betrachtung zum 1. Weltkriege

Die Verteidigung und der Angriff auf die Dardanellen und damit auf die Türkei zeigen in reicher Fülle logistische und antilogistische Maßnahmen beider Seiten. Die Forcierung der Dardanellen durch die Seestreitkräfte der Entente erfolgte in der Mehrzahl durch ältere Linienschiffe. Hierin ist eine Auswirkung der deutschen Hochseeflotte zu erkennen. Wäre sie nicht vorhanden gewesen, so hätte die Forcierung mit den neuesten Schiffen erfolgen können. Ob dadurch mehr erreicht worden wäre, mag offen bleiben. Das führt jedoch zu der Frage, weshalb England die modernsten und stärksten Schiffe in Schottland zurückhielt, und schließlich auch zu der Frage, weshalb sich die englische Flotte zu der Schlacht am Skagerrak stellte. Sie tat dies bei dem viel weiter nach Norden durchgeführten Vorstoß der deutschen Flotte im April 1918 nicht. Sie hätte auch im Mai 1916 ohne Prestigeverlust die Kreuzfahrt der Hochseeflotte in der Nordsee zulassen können, ohne einzugreifen. Die Annahme der Schlacht widersprach dem englischen Prinzip der Fernblockade mit dem Ziel der Aushungerung Deutschlands, zumal sie zu erheblichen Schiffsverlusten führten konnte und tatsächlich auch geführt hat.

Keineswegs handelte es sich bei dem Zurückhalten der stärksten Kräfte während der Dardanellen-Unternehmung und bei der Annahme der Schlacht am Skagerrak darum, einen Ausbruch der Hochseeflotte in den Atlantik zu verhindern, etwa um dort den deutschen Überseehandel wieder in Gang zu bringen. Für eine solche Aufgabe war die Hochseeflotte weder ihrer Stärke noch ihrer Struktur nach geschaffen; ihre Versorgung auf dem Atlantik war vollkommen unmöglich. Beides — die Zurückhaltung der kampfkräftigsten Schiffe während der Dardanellenunternehmung in England und die Annahme der Schlacht am Skagerrak — sind vielleicht aus englischen Befürchtungen zu verstehen, daß die Hochseeflotte Norwegen besetzen könnte. Noch während des Kampfes um die Dardanellen wurde ferner von maßgebenden englischen Stellen anscheinend ernsthaft eine deutsche Invasion befürchtet. Bei dem Vorstoß der Hochseeflotte im April 1918 konnten solche Befürchtungen nicht mehr vorliegen, da Deutschland für die Frühjahrsoffensive seine letzten Reserven eingesetzt hatte. Die Möglichkeit einer Verwendung der Flotte gegen Norwegen wurde auf deutscher Seite erst 1929 von Admiral Wegener erkannt. Der Versuch einer Besetzung Norwegens unter vollem Einsatz der Hochseeflotte hätte aber im 1. Weltkrieg wahrscheinlich zu einer durchgeschlagenen Seeschlacht geführt. Einer solchen war die deutsche Flotte nach dem Urteil von Admiral Scheer nach der Skagerrakschlacht nicht gewachsen. In der Marine auch nach 1918 wurde gern gesagt: „noch nicht gewachsen", man meinte damit, daß der Krieg Deutschland im Aufbau überrascht habe, und daß es einige Jahre später der englischen Flotte gewachsen gewesen wäre. Auch im amtlichen Admiralstabswerk kommt das Bedauern zum Ausdruck, daß der Bau der Hochseeflotte bei Kriegsbeginn noch nicht zum Abschluß gelangt war. Es war jedoch irrealistisch zu erwarten, daß England den Bau einer deutschen Flotte bis zu einer Stärke dulden würde, die ein wirkliches Risiko für England erbracht hätte. Aus solchen Befürchtungen hat England seit der Jahrhundertwend die damals vorhandenen außerordentlichen Differenzen mit Frankreich und Rußland beseitigt bzw. zurückgestellt. Es durfte von seinem Standpunkt aus eine Niederlage Frankreichs und Rußlands nicht zulassen, denn es hätte nach einer solchen Niederlage den unbeschränkten Ausbau der deutschen Flotte im Schutze der Küstenbefestigungen nicht mehr verhindern können. Die Tatsache, daß die Hochseeflotte in der Skagerrakschlacht so erstaunliche Erfolge erzielen und unter glückhaften Umständen die Häfen wieder erreichen konnte, war für England eine Bestätigung mehr für die Richtigkeit seiner Politik seit der Jahrhundertwende, sich Frankreich und Rußland anzuschließen. Daß diese englische Zwangslage auf deutscher Seite nicht erkannt wurde, ist die Schuld der politischen Führung. Dabei ist es eine offene Frage, ob ein Veto des Reichskanzlers gegen den Flottenbau Erfolg gehabt hätte.

Jedoch mußten auch die verantwortlichen Führer der Kaiserlichen Marine — durch die verfehlte Organisation der Kriegsmarine gab es keine Stelle, die allein verantwortlich war — diese Zwangslage Englands erkennen und daraus die logistischen Schlußfolgerungen bei der Entwicklung der Flotte ziehen. An warnenden Stimmen hat es nicht gefehlt. Es gehörte auch für einen Admiral viel Mut dazu, dem Kaiserlichen Herrn zu sagen, — wie es Admiral v. Bendemann tat — daß seine Flotte im Kriege in den Häfen liegen und bald unbrauchbar werden würde.

Letzte Ursache für die logistische Fehlentwicklung der Kaiserlichen Marine waren die zahlreichen Immediatstellen und das Fehlen eines echten Admiralstabes im Frieden. Als er durch die Kabinettsorder vom 30. 7. 1914 einigermaßen ausreichende Vollmachten erhielt, war es zu spät. Die Beurteilung der Chancen und Notwendigkeiten des 1. U-Bootskrieges war dem Admiralstab allein nicht möglich, da nicht ein einziger seiner Offiziere auf U-Booten gefahren war.

3. Kapitel

Logistische Angelegenheiten zwischen den beiden Weltkriegen

A. *Versorgung der Minensuchverbände und Ausbildungskreuzer*

Durch den Versailler Vertrag war Deutschland verpflichtet worden, die in der Nord- und Ostsee ausgelegten Minensperren zu räumen. Eine dieser Aktionen wurde durch die 2. Torpedoboots-Halbflottille 1922, Chef Kapitänleutnant Essberger, durchgeführt. Die Halbflottille stützte sich während dieser Operation auf den Hafen von Hangö in Finnland. Sie war monatelang ganz auf sich gestellt. In normalen Zeiten wäre der erforderliche Nachschub im wesentlichen in Finnland beschafft worden. Die in Deutschland täglich zunehmende Inflation verhinderte dies jedoch. Die Boote wurden daher von Deutschland aus durch Nachschubschiffe, die die Marineleitung dirigierte, mit dem geforderten Nachschub versorgt: Betriebsstoffen, Lebensmitteln, Leinen und Bojen zum Minensuchen usw. Durch diese Schiffe wurde auch der Austausch ungeeigneten oder erkrankten Personals durchgeführt. Die Übernahme des Nachschubs erfolgte friedensmäßig im Hafen von Hangö. In ähnlicher Weise wurden die Maßnahmen zum Aufnehmen von Minen in anderen Seegebieten gesteuert.

Die zur Ausbildung des Offiziersnachwuchses zwischen den beiden Kriegen nach Beendigung der Inflation eingesetzten Ausbildungskreuzer, das Vermessungsschiff „Meteor" und die Fischereischutzboote bezogen den Großteil der Betriebsstoffe, Verpflegung usw. von Firmen der angelaufenen Häfen der Gastländer. Für die technische Prüfung der angebotenen Betriebsstoffe hatten die Kreuzer Laboratorien an Bord, die es ermöglichten, die Prüfung von Heizöl, Diesel, Schmierölen, Trink- und Kesselspeisewasser auf ihre Eignung durchzuführen.

Von den zahlreichen Marine-Ausrüstungs- bzw. Versorgungsstellen des 1. Weltkrieges von der Ost- und Nordsee bis zum Schwarzen Meer blieb nach dem Kriege nur die Marine-Ausrüstungsstelle Swinemünde erhalten. Sie wurde in den folgenden Friedensjahren entsprechend den Forderungen der in Swinemünde beheimateten Seestreitkräfte weiter ausgebaut. Neben der Versorgung der Schiffe mit Betriebsstoffen, Verbrauchsstoffen und Geräten führte die Marine-Ausrüstungsstelle die anfallenden Reparaturen durch. Sie hat diese umfangreichen und verantwortungsvollen Aufgaben von 1920 bis zu ihrer Auflösung 1945 in hervorragender und anerkannter Weise durchgeführt. Bei Kriegsende im Mai 1945 beschäftigte sie 3 800 Arbeiter.

B. *Der Spanische Bürgerkrieg (1936—1938) — (Legion Condor)*

1. Übernahme in See von Heizöl und Speisewasser

Während des Spanienkrieges 1936—38 waren in Spanien deutsche Seestreitkräfte eingesetzt. In dieser Zeit wurde die bereits in den Frühjahrs- und Herbstmanövern 1934 und 1935 geübte Ölübernahme in See unter annähernd kriegsmäßigen Verhältnissen erprobt und weiterentwickelt. Das Ziel dieser Übungen war, im Kriegsfalle Auslandskreuzer unabhängig von Häfen, also in See, möglichst schnell durch Tanker mit den erforderlichen Betriebsstoffen — insbesondere mit Heizöl — zu versorgen, ohne daß hierbei die Gefechtsbereitschaft des Kriegsschiffes wesentlich beeinträchtigt wurde.

Die Übungen bei den Flottenmanövern in heimischen Gewässern begannen mit dem Schleppen des Tankers durch das zu versorgende Kriegsschiff über das Heck. Die Länge dieser Schleppverbindung war wesentlich bestimmt durch Wind und Wetter und die Größe der beiden Schiffe, jedoch war eine Entfernung vom Heck des Kriegsschiffes bis zum Bug des Tankers von 150—220 m kaum zu unterschreiten. Die Herübergabe der Ölschläuche konnte erst nach erfolgter Herstellung der Schleppverbindung durchgeführt werden und bereitete in Abhängigkeit von den Witterungsverhältnissen erhebliche Schwierigkeiten. Da die Halterung des oder der Ölschläuche an der Schlepptrosse nicht mit Sicherheit zu erzielen war, wurde eine besondere Leittrosse für die Ölschläuche zwischen den beiden Schiffen notwendig. Die Ölschläuche wurden an der Leittrosse durch Gleitklammern gehalten. Diese Versuche führten zu keinem befriedigenden Ergebnis.

Im Herbst 1935 wurden die ersten Versuche mit einem neuartigen Verfahren gemacht: der Ölabgabe bei querab geschlepptem Schiff. Der Kernpunkt dieser Ölabgabe war ein Poller, den das zu schleppende Schiff etwa im Drehpunkt des Schiffes an beiden Seiten eingebaut erhielt. Die Erprobungen in spanischen Gewässern erstreckten sich auf die Ölabgabe von Tankern — „Wollin", „Norderney" usw. — an Torpedoboote der Raubtier- und Raubvogelklasse sowie von Kreuzern — „Köln", „Nürnberg", „Königsberg", „Leipzig" und „Karlsruhe" — an Torpedoboote. Zu Beginn eines solchen Manövers dampfte das Torpedoboot an der Leeseite des Kreuzers auf, bis ein Querabstand von 30—40 m zwischen beiden Schiffen erreicht war. Dann wurde zunächst die Schleppverbindung querab hergestellt. Das Torpedoboot hielt dann eine um etwa eine Seemeile geringere Geschwindigkeit als der Kreuzer. Ein derartiges Fahren querab erforderte eine ununterbrochene hohe Aufmerksamkeit sowohl der Brücke wie der Maschine.

Nach der Herstellung der Schleppverbindung wurden mit Hilfe der Bäume (Kräne) die Ölschläuche und gelegentlich auch Speisewasserschläuche herübergegeben. Die Schläuche wurden auf diese Weise im allgemeinen über der Wasseroberfläche gehalten. Sobald die Schlauchverbindung hergestellt war, begann die Öl- und gegebenenfalls die Wasserabgabe. Infolge des verhältnismäßig geringen Querabstandes der beiden Schiffe waren die Ölleitungen wesentlich kürzer und leichter zu kontrollieren, als dies bei den früheren Versuchen mit der Ölabgabe über Bug bzw. Heck der Fall war.

Eine weitere Steigerung der Heizölversorgung wurde durch die gleichzeitige Abgabe von Heizöl an zwei Torpedoboote erzielt, wobei je ein Torpedoboot an Backbord bzw. Steuerbord querab geschleppt wurde.

Mit zunehmender Übung dauerte die Herstellung der Schleppverbindung und die Übergabe der Ölschläuche bis zum Beginn der Ölabgabe etwa 20 Minuten. Die mengenmäßigen Leistungen der Ölübernahme waren abhängig von den Leistungen der Ölpumpen des abgebenden Schiffes. Im spanischen Krieg wurden bei solchen Erprobungen 120 cbm/h bei der Abgabe von Kreuzern an Torpedoboote erreicht.

Wie alle Maßnahmen, die auf einem Kriegsschiff das gesamte

Personal zur Durchführung erfordern, wurde auch die Ölabgabe in einer „Rolle“ zusammengefaßt. In dieser „Rolle“ wurden auch diejenigen Maßnahmen festgelegt, die zur schnellen Beseitigung der Schlepp- und Schlauchverbindungen beim Sichten eines Gegners notwendig werden konnten.

Diese Erprobungen in See dienten ebenso wie die Übernahme von Heizöl, Treiböl (Diesel) und Speisewasser in spanischen Häfen auch der Normung der für solche Abgaben in außerheimischen Gewässern benötigten zahlreichen Teile (Schlauchverbindungen, Mehrwegestücke, Krümmer, Kupplungen usw). Auch die konstruktive Bemessung der Pumpen, der Abgabe- und Übernahmeleitungen usw. wurde durch diese Versuche beeinflußt.

Im 2. Weltkrieg haben sich diese Übungen, die dabei erzielten Erkenntnisse und ihre Auswertung günstig ausgewirkt. Das gilt ebenso für die Versorgung von Kriegsschiffen durch Troßschiffe in außerheimischen Gewässern wie für die Versorgung der U-Boote durch Versorgungs-U-Boote, die sogenannten „Milchkühe“.

Während des Spanienkrieges (Legion Condor) erhielten die in Spanien eingesetzten deutschen Land- und Luftstreitkräfte sowie die Seestreitkräfte ihren Nachschub im wesentlichen aus der Heimat durch Versorgungsschiffe. Der Nachschub von Waffen, Munition und allen sonstigen Kriegsbedürfnissen erfolgte ohne die in einem Kriege normalerweise zu erwartenden Bedingungen friedensmäßig.

2. Havarie des Kreuzers „Nürnberg“ in spanischen Gewässern

Die Kreuzer „Königsberg“, „Karlsruhe“, „Köln“ aber auch noch „Leipzig“ und „Nürnberg“ waren unter den einschränkenden Bestimmungen des Versailler Vertrages konstruiert bzw. gebaut worden. Da diese Schiffe neben einer hohen Geschwindigkeit eine Vielzahl von Waffen erhalten hatten, war ein schwaches Konstruktionselement entstanden, nämlich eine zu geringe Längsfestigkeit dieser Schiffe. Die in der Längsrichtung eines Schiffes durchlaufenden schiffbaulichen Verbände dienen ganz allgemein im Zusammenhang mit den übrigen Verbänden der Längsfestigkeit eines Schiffes. Um die ungenügende Längsfestigkeit der genannten Schiffe zu erhöhen, war unter dem Oberdeck an jeder Schiffsseite je ein hoher Doppel-T-Träger eingebaut worden. Trotzdem blieb die Längsfestigkeit unbefriedigend, so daß die Kommandanten der ins Ausland gehenden Kreuzer vom Oberkommando die Weisung erhielten, schweres Wetter möglichst zu vermeiden. Natürlich ist dies für ein seegehendes Schiff, besonders aber für ein Kriegsschiff, eine ungewöhnliche Anordnung. Jedoch war der vorhandene Mangel durch konstruktive Maßnahmen nachträglich nicht zu beheben.

Während einer Nachtfahrt quer zur See — bei Seegang und Windstärke 6—7 — zerrissen Ende November 1936 auf dem Kreuzer „Nürnberg“ in spanischen Gewässern die beiden Doppel-T-Träger unter kanonenschußähnlichem Getöse in der Abteilung VII, also über dem vorderen Maschinenraum. Da nicht sofort zu erkennen war, woher dieses Geräusch und die anschließend auftretenden starken Erschütterungen des Schiffes herrührten, gab die Brücke „Alarm“, und die Besatzung eilte auf Gefechtsstationen.

Den ersten Hinweis auf die Ursache dieser außergewöhnlichen Erscheinungen gab ein quer über das gesamte Oberdeck entstandener Riß der Deckbeplattung, durch den die überkommenden Seen in das darunterliegende Zwischendeck eindrangen. Die Stahlplatten des Oberdecks waren von einer Schiffsseite bis zur anderen durchgerissen. Das auf Gefechtsstationen geeilte Maschinenpersonal stellte fest, daß die beiden Doppel-T-Träger gerissen waren. Nachdem die Ursache erkannt war, legte der Kommandant das Schiff parallel zur See, um dadurch die Beanspruchungen des Schiffskörpers in der Längsrichtung zu vermindern.

Die verbliebene Längsfestigkeit des Kreuzers beruhte nach dem Bruch der beiden Doppel-T-Träger im wesentlichen auf dem Panzerdeck und den darunter liegenden schiffbaulichen Verbänden. Bei dem herrschenden Seegang bestand die Gefahr, daß weitere Verbände zu Bruch gingen. Der Befehlshaber befahl daher sofortiges Einlaufen nach Cadiz, dem nächsten Hafen. Bei dem erforderlichen Kurswechsel lag der Kreuzer kurze Zeit quer zur See. Hierbei öffneten sich die Risse der beiden Träger bis zu 90 mm. Man erkennt hieran die außerordentliche Durchbiegung des Schiffskörpers, aber auch die vorzügliche Arbeit der erhalten gebliebenen schiffbaulichen Verbände. Während des Wendemanövers wurden einige der unter Panzerdeck verlegten Dampfrohrleitungen der Kesselanlage in den Stopfbuchsen infolge der Durchbiegung des Schiffes stark undicht, und an einigen Konsolen der dampfführenden Leitungen wurden ³/₄zöllige Halteschrauben durchgeschoren. Damit war auch die Dampfanlage gefährdet. Deshalb wurde auf die Dieselanlage umgeschaltet und die Dampfanlage beschleunigt abgestellt.

Eine so schwere Havarie wäre in der Heimat selbstverständlich von einer leistungsfähigen Werft repariert worden. Verständlicherweise wollte der Befehlshaber eine solche Schwäche eines seiner Kreuzer gegenüber spanischen Behörden nicht in Erscheinung treten lassen und beauftragte daher den Verfasser, die Möglichkeit einer Reparatur mit Bordmitteln zu prüfen. Gleichzeitig forderte er vom Oberkommando in Berlin die Entsendung von Schiffbausachverständigen.

Nach eingehenden Besprechungen mit dem Leitenden Ingenieur des Kreuzers wurde die Reparatur wie folgt durchgeführt: Die Breite des Risses der beiden Doppel-T-Träger betrug in Cadiz — also in ruhigem Wasser — noch etwa 40 mm. Um den Riß nach Möglichkeit zu schließen, wurden die Bunker des Mittelschiffes voll aufgefüllt, dagegen die Bunker im Vor- und Achterschiff gelenzt. Dadurch bog sich das Schiff in der gewünschten Richtung, und der Riß der Träger schloß sich fast vollkommen. Zu beiden Seiten der senkrechten Stege der Doppel-T-Träger wurden dann 10 mm starke Platten von 1 m Länge genau eingepaßt, mit dem Steg verschraubt und in der Längsrichtung mit den horizontalen Flanschen der Träger elektrisch verschweißt. Schließlich wurden 10 mm starke Bänder von 1 m Länge an den Innenseiten der Flanschen der Träger elektrisch aufgeschweißt. In ähnlicher Weise wurde der an Oberdeck entstandene Riß behandelt. Gleichzeitig mit diesen Arbeiten wurden die undicht gewordenen Stopfbuchsen der Dampfrohrleitungen sowie die durchgeschorenen Schrauben repariert bzw. erneuert. Zwei Tage nach dem Einlaufen des Kreuzers in den Hafen war die verantwortungsvolle und schwierige Aufgabe in Tag- und Nachtarbeit von dem Maschinenpersonal gelöst und das Schiff wieder gefechtsbereit. Am folgenden Tag traf Marineoberbaurat Schotte mit zwei weiteren Sachverständigen auf dem Luftwege aus Berlin ein, der die Reparatur in allen Punkten guthieß. „Nürnberg“ konnte bis zur Ablösung in spanischen Gewässern bleiben und Mitte Dezember 1936 in die Heimat zurückkehren.

Diese logistischen Maßnahmen wurden durch die große Leistungsfähigkeit des Maschinenpersonals und die zweckmäßige Ausrüstung der Kriegsschiffe der damaligen Zeit ermöglicht. Das Studium der Seekriegsgeschichte des 1. Weltkrieges und die daraus gewonnenen Erkenntnisse und Lehren hatten sich nützlich ausgewirkt. Im 1. Weltkrieg wären solche Reparaturen mangels geeigneter Reparatureinrichtungen nicht möglich gewesen.

C. *S-Boote ohne erkennbaren operativen Anmarsch*

Die seit 1933 mehrfach drohende Kriegsgefahr sowie die Erlebnisse und Beobachtungen im spanischen Bürgerkrieg veranlaßten den Verfasser, im Hinblick auf die schwache Rüstung Deutschlands zur See Erwägungen über die Möglichkeiten neuartiger Seekriegsmittel anzustellen. Er ging dabei von der Überlegung aus, daß ein überraschendes Auftreten von S-Booten in Seegebieten, in denen solche Kriegsschiffe nach damaliger Erkenntnis nicht vermutet werden konnten, nachhaltige Erfolge zeitigen könnten. Damit entstand die Frage eines nicht erkennbaren Transports solcher S-Boote nach entlegenen Seegebieten. Über das Ergebnis seiner Überlegungen legte er 1938 seinem Inspekteur, Admiral Schuster, eine Denkschrift unter dem Titel vor: „S-Boote ohne erkennbaren operativen Anmarsch“.

Die Transportidee gliederte sich in zwei Vorschläge, nämlich die Verladung von S-Booten auf Überwasserschiffen und ferner auf U-Booten.

Für die Anbordnahme bzw. Zuwasserbringung von S-Booten auf kreuzerähnlichen Überwasserschiffen waren Ideenskizzen beigefügt und erläutert, die u. a. auch die schwierige Gestaltung des Hinterschiffes behandelten. Das Hinterschiff war als Dock ausgebildet und mit einer Klappe abgeschlossen, die vor dem Eindocken eines S-Bootes bzw. beim Zuwasserbringen eines solchen nach hinten heruntergeklappt werden konnte. Ferner war textlich und in den Skizzen die Unterbringung von Flutungsräumen behandelt, um dem Hinterschiff für den Dockvorgang den nötigen Tiefgang zu geben, sowie das Verfahren der an Bord genommenen S-Boote auf Gleisanlagen zur Mitnahme bzw. Reparatur der S-Boote.

Das vom Verfasser vorgeschlagene Schiff entsprach in erstaunlich übereinstimmender Weise dem Docklandungsschiff (LSD = Landing Ship Dock), das aus ähnlichen Überlegungen, jedoch erst etwa 4—5 Jahre später, von der USA-Navy entwickelt wurde und im Atlantik wie im Stillen Ozean häufig und mit Erfolg kriegsmäßige Verwendung gefunden hat.

Für die Mitnahme von S-Booten auf U-Booten wurden in der Denkschrift Boxen an Deck der U-Boote oder versenkt im U-Bootskörper vorgeschlagen. Die Denkschrift wies in dieser Hinsicht auf die im 1. Weltkriege bereits erprobte Unterbringung von Flugzeugen in ähnlichen Boxen auf U-Booten hin.

Für eine solche Verwendung wurden S-Boote kleineren Typs vorgeschlagen als sie in Deutschland damals verwendet wurden (105 t) und u. a. auf folgende Entwicklungen in fremden Kriegsmarinen hingewiesen:

England MTB 1—12
18 t 40 kn Geschwindigkeit 2—45,7 cm Torpedos
England MTB 102
28 t 40 kn Geschwindigkeit 2—53,3 cm Torpedos
Italien MAS 431
15 t 40 kn Geschwindigkeit 2—45 cm Torpedos
Italien MAS 428/29
32 t 34 kn Geschwindigkeit 2—45 cm Torpedos
Frankreich VTB 8/10
20 t 55 kn Geschwindigkeit 2—45 cm Torpedos

Die Schnellboote sollten weitab von der Heimat auf Handelsschiffe, Kriegsschiffe, Hafeneinfahrten, Leuchttürme, Schleusen, Uferstraßen, Brücken, Gleisanlagen usw. mit Torpedos, Minen oder als Sprengboote überraschend — ohne erkennbaren operativen Anmarsch — zum Einsatz gebracht werden.

Aus dieser Zielsetzung ergab sich, daß solche S-Boote nicht den hohen Anforderungen entsprechen mußten, die in Nord- und Ostsee hinsichtlich Geschwindigkeit, Aktionsradius und Seefähigkeit an S-Boote gestellt wurden. Sie konnten daher kleiner als die bisherigen S-Boote sein, auch genügte eine Geschwindigkeit, die einem normalen Frachtschiff überlegen war.

Neben dem angestrebten unmittelbaren kriegerischen Erfolg sollten die Feindmächte — nach den Ausführungen der Denkschrift — durch das Auftreten solcher S-Boote gezwungen werden, praktisch überall auf und an allen von U-Booten befahrenen Meeren und deren Häfen eine ständige Abwehr zu organisieren: Minensuchflottillen, Hafensperren, Hafenschutzflottillen, Artillerie-Stellungen, Flugzeuge, Flugplätze usw. Durch den Zwang zu solchen zusätzlichen Verteidigungsanstrengungen weltweiten Ausmaßes sollte das Menschen- und Industriepotential der Gegner weitmöglichst angespannt und dadurch eine Entlastung der Fronten in Europa erreicht werden.

Die Denkschrift wurde von Admiral Schuster an das Oberkommando der Kriegsmarine gegeben. Als nach Kriegsausbruch im November 1939 weder eine Antwort noch eine Rückfrage seitens des Oberkommandos vorlag, machte Generaladmiral Albrecht —Oberbefehlshaber der Marinegruppe Ost —, zu dessen Stab der Verfasser damals gehörte, Großadmiral Raeder bei dessen Besichtigung der Marinegruppe in Swinemünde auf diese Denkschrift aufmerksam. Als auch dies ohne Erfolg blieb, legte der Verfasser 1941 dem Chef des Stabes beim Kommandierenden Admiral in Frankreich, K.Admiral Lietzmann, eine ergänzende Denkschrift vor. Hierin wurde u. a. auf die Möglichkeit der Mitnahme kleiner S-Boote auf Hilfskreuzern und ev. Blockadebrechern hingewiesen. Diese S-Boote sollten durch die Bäume (Kräne) der Hilfskreuzer aus- und eingesetzt werden. Wohl auf diese erneute Vorlage hin erhielt der Verfasser 1942 ein kurzes Schreiben mit der Unterschrift des Kapitän zur See Godt vom Stabe des Befehlshabers der U-Boote, in dem mitgeteilt wurde, daß eine Verfolgung der Idee während des Krieges nicht möglich sei.

Es hatte rund vier Jahre gedauert, bis diese Antwort erteilt wurde. Sie entspricht im übrigen nicht den historischen Tatsachen, denn tatsächlich wurde von der Idee, wenn auch zu spät und unzureichend, Gebrauch gemacht. Admiral Ruge schreibt in seinem Buch „Der Seekrieg 1939—1945“, daß auf dem Hilfskreuzer „Michel“ ein leichtes S-Boot an Bord gegeben wurde, welches „in überraschenden nächtlichen Angriffen auf Schiffe verwendet wird, deren Kurs und Fahrt bei Tage aus großer Entfernung festgestellt worden ist“. Auf „Michel“ wurde also genau das durchgeführt, was in der Denkschrift vorgeschlagen worden war. Allerdings war 1942 der günstigste Zeitpunkt für den Einsatz solcher S-Boote von Überwasserschiffen aus bereits verpaßt worden. Großadmiral Raeder schreibt in seinem Buch: „Mein Leben“: „Die Versenkungserfolge der Hilfskreuzer haben in den Jahren 1940—1942 fast eine Million Tonnen betragen“. Der Hilfskreuzer „Michel“, Kommandant Korvettenkapitän v. Ruckteschell, war der letzte Hilfskreuzer des 2. Weltkrieges. Er trat seine Fahrt im März 1942 an. Alle späteren Versuche, Hilfskreuzer zu entsenden, scheiterten. Sie wurden bereits bei Antritt der Ausreise durch den Gegner vernichtet. Die Zeit der Hilfskreuzer war 1942 vorbei.

Die Antwort des Kapitän zur See Godt war auch aus folgendem Grunde unzutreffend: Italien baute nach Besprechungen mit der deutschen Seekriegsleitung die U-Boote „Grongo“, „Morena“ und „Sparidi“, die mit je 2—4 Boxen — in Italien Tuben genannt — an Oberdeck zur Mitnahme von 2—4 kleinen S-Booten je U-Boot ausgerüstet wurden. Die Italiener waren im Bau wie in der Verwendung von Kleinkampfmitteln besonders bewandert. Bereits im 1. Weltkriege hatten sie damit einige Erfolge erzielen können. Diese U-Boote wurden kurz nach ihrer Fertigstellung und kurz vor ihrem Einsatz beim Ausbruch des Badoglio-Aufstandes im Juli 1943 von den Italienern im Hafen von La Spezia selbst versenkt. Die deutsche Seekriegsleitung veranlaßte unter dem Eindruck des Zusammenbruchs des U-Bootskrieges die sofortige Hebung der drei U-Boote und ließ sie anschließend zur Wiederherstellung nach Genua schleppen. Die Boote konnten jedoch bis Kriegsende wegen erheblicher Schwierigkeiten bei der Erneuerung der elektrischen Anlage nicht mehr frontbereit gemacht werden.

Die Antwort von Kapitän zur See Godt erfolgte, als der U-Bootskrieg seine größten Erfolge zeitigte. Wenige Monate später — Anfang 1943 — kam der U-Bootskrieg zum Erliegen.

Wenn in den seit Einreichung der Denkschrift bis zu obiger Antwort verstrichenen vier Jahren die technischen Maßnahmen entwickelt worden wären, um den Einsatz von S-Booten von U-Booten aus zu ermöglichen, so wären selbst nach dem Zusammenbruch des U-Bootskrieges Anfang 1943 noch außerordentliche Möglichkeiten für die Verwendung solcher Schnellboote ohne erkennbaren operativen Anmarsch vorhanden gewesen.

Die dem Vorschlage des Verfassers sehr ähnliche Konstruktion und Verwendung des Schiffslandedocks (LSD) der USA, der Einsatz der leichten Schnellboote „LS 4“ auf Hilfskreuzer „Michel“ und von „LS 3“ auf Hilfskreuzer „Cormoran“ sowie die Ausrüstung von drei italienischen U-Booten mit solchen Schnellbooten beweisen, daß sich die Unterdrückung der Denkschrift „S-Boote ohne erkennbaren operativen Anmarsch“ zum Schaden der Landesverteidigung ausgewirkt hat.

4. Kapitel

Logistische Maßnahmen der Kriegsmarine im 2. Weltkriege

A. „Weserübung"

Am 10. 10. 1939 hielt der Oberbefehlshaber der Kriegsmarine, Großadmiral Raeder, Hitler Vortrag, wobei er darauf hinwies, daß die Sicherstellung der Erzzufuhren aus Narvik für das Durchhaltevermögen Deutschlands von entscheidender Bedeutung sei. Darauf trat am 27. 1. 1940 ein Sonderstab zusammen, der die Aufgabe hatte, die für eine Besetzung Norwegens und Dänemarks notwendigen Maßnahmen zu prüfen. Ihm gehörte seitens der Marine Kapitän zur See Krancke an. Diese Erwägungen liefen unter dem Decknamen „Weserübung".

Mitte März wurde dem Verfasser — damals Direktor des Ausrüstungsressorts der Kriegsmarinewerft Wilhelmshaven — vom Kommando der Marinestation der Nordsee die Aufgabe gestellt, die Ausrüstung der für Bergen in Norwegen bestimmten Kriegsschiffe sowie die Verladung der auf diesen Schiffen einzuschiffenden Truppen des Heeres, ihrer Waffen, Munition und sonstiger Ausrüstung unauffällig vorzubereiten und durchzuführen. Aus den angestellten Überlegungen ergaben sich umfangreiche logistische Maßnahmen, die kurz wiedergegeben werden sollen:

1. Der Liegeplatz der Kriegsschiffe mußte so gewählt werden, daß er von der Stadt her nur schwer einzusehen war. Er mußte hermetisch abgeriegelt und leicht kontrolliert werden können. Ferner mußten zahlreiche Gleisanlagen vorhanden sein mit Weichen, um die Transportzüge rangieren zu können. Für die schnelle Verladung des Schwergutes — Feldküchen, Kräder, Munition usw. — mußte für die Aufstellung von Schienenkränen gesorgt werden, ferner für leichte Schwimmkräne.
   Infolgedessen wurde die Seydlitz-Brücke gewählt — s. Skizze —, die den Vorteil bot, daß die Züge nicht durch die Stadt zu fahren brauchten, sondern vor Erreichen der Stadt bei Mariensiel auf die Werftbahn dirigiert werden konnten. Von der Seydlitzbrücke konnten die entladenen Züge oder Teile der-

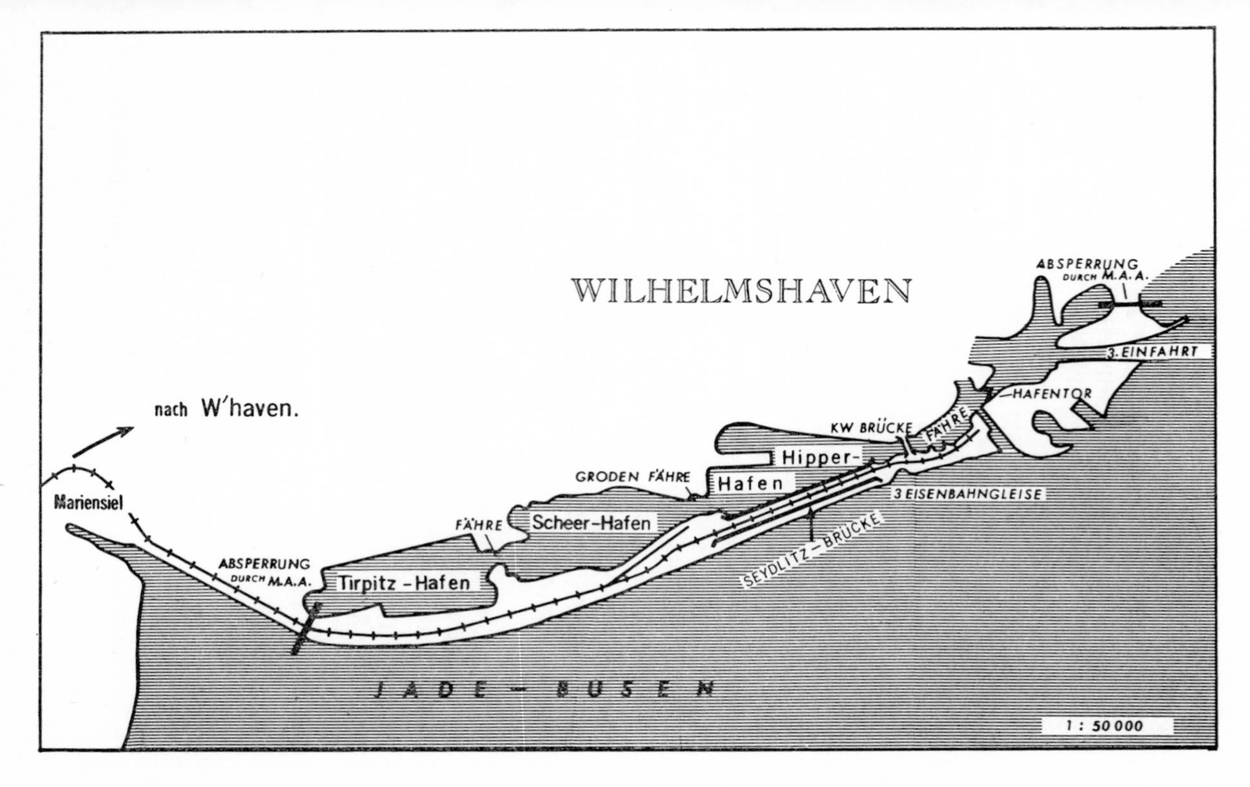

WILHELMSHAVEN
nach W'haven.
Mariensiel
ABSPERRUNG DURCH M.A.A.
Tirpitz-Hafen
FÄHRE
Scheer-Hafen
GRODEN FÄHRE
Hipper-Hafen
KW BRÜCKE
FÄHRE
SEYDLITZ-BRÜCKE
3 EISENBAHNGLEISE
HAFENTOR
3. EINFAHRT
ABSPERRUNG DURCH M.A.A.
JADE-BUSEN
1 : 50000

selben in der gleichen Richtung weiterfahren und außerhalb des Entladeraumes abgestellt werden. Für die Truppentransportzüge wurde das erste Gleis neben den Kriegsschiffen — an der Hafenseite — gewählt, für die Materialzüge die parallel dazu liegenden Gleise nach der Seeseite.

2. Die zentral gesteuerte Verdunkelung der Liegeplätze wurde so geändert, daß eine ausreichende Beleuchtung der Verladestellen und der Gleisanlagen gewährleistet war.
3. Die zahlreichen Selbstwähltelefonapparate im Bereich des abgesperrten Raumes wurden auf ein Stichwort in der Zentrale abgeklemmt mit Ausnahme von zwei Apparaten, die unter spezieller Kontrolle standen.
4. Die Fähren über den Hafen wurden auf ein Stichwort stillgelegt mit Ausnahme der Grodenfähre, die nur auf besonderen Befehl fahren durfte.
5. Die Kaiser-Wilhelm-Brücke und das Hafentor (Skizze) wurden 2 Stunden vor dem Einlaufen der Züge geöffnet und blieben bis 2 Stunden nach dem Auslaufen der Kriegsschiffe geöffnet.
6. Rangierloks wurden in der Nähe der Liegeplätze bereitgestellt.
7. Breite Stellinge für das Anbordgehen der bordungewohnten Truppen wurden an den Liegeplätzen der Kriegsschiffe bereitgelegt.
8. Etwa 80 Elektrokarren mit Fahrern — ähnlich den auf Bahnhöfen verwendeten — wurden zwischen den Gleisanlagen zum schnellen Ausladen der Güterzüge aufgestellt.
9. Für das Verladen von Massengütern wurden — aus Bremen Broken — schwere Verladenetze beschafft.
10. Für das Seefestzurren der Feldküchen, Kräder usw. wurde Draht und Tauwerk bereitgelegt und vieles andere mehr.

Die Absperrung des Verladeraumes Tirpitzhafen und bei der III. Einfahrt übernahmen Teile einer Marine-Artillerie-Abteilung.

Am 2. 4. ging das Stichwort „Weserübung“ ein. Kreuzer „Köln“, „Königsberg“ und „Bremse“ machten an den vorgesehenen Liegeplätzen fest. Am 3. 4. abends lief der Tanker „Kattegat“, 8000 BRT, beladen und ausgerüstet aus Wilhelmshaven nach Narvik aus, am 4. 4. abends folgte planmäßig der Tanker „Skagerrak“, 8000 BRT, der nach Drontheim bestimmt war.

Am 8. 4. gegen 20.00 Uhr liefen schnell hintereinander die Truppentransportzüge in Stärke von ca. 1900 Mann und die Güterzüge ein, um 23.00 Uhr waren die Truppen mit sämtlichen Waffen, Munition, Krädern, Feldküchen usw. verladen, und um 24.00 Uhr verließen die Kriegsschiffe planmäßig die Schleusen von Wilhelmshaven.

Die Durchführung sämtlicher logistischen Maßnahmen hatte reibungslos funktioniert. Die Geheimhaltung der Truppenverladung an der Seydlitz-Brücke war eine vollkommene. Kurz nach Kriegsende wurden dem Verfasser vom Naval Offizier in Charge in Wilhelmshaven gelegentlich einer Ordensverleihung an vier Engländer diese vorgestellt. Sie hatten vor und während des Krieges als „deutsche" Arbeiter auf der Kriegsmarinewerft Wilhelmshaven gearbeitet. Auf Befragen gaben sie zu, nichts von der „Weserübung" gemerkt und daher auch nichts nach England gemeldet zu haben.

Die entsprechenden Aufgaben für die aus anderen deutschen Häfen nach Norwegen bestimmten Kriegsschiffe wurden in ähnlicher Weise von den dort zuständigen Organen vorbereitet und durchgeführt.

Die Besetzung Norwegens — und zwangsläufig auch Dänemarks — war die erste gemeinsame Operation aller drei Wehrmachtteile. Der Erfolg wurde durch die vorzügliche Zusammenarbeit von Führung und Front erreicht.

Logistisch war die Besetzung Norwegens für Deutschland ein großer Gewinn; die Erzzufuhren liefen danach erfolgreicher, als erwartet worden war. Antilogistisch wirkte sich die Besetzung gegen England ebenfalls günstig aus, da die Erz- und Holzbelieferung — letztere vor allem für die englischen Kohlengruben — dadurch unterbunden wurde.

B. Erprobung des 1. Unterwasserpanzers für „Seelöwe"

Ende Juni 1940 kam ohne vorherige Anmeldung bei der Kriegsmarinewerft Wilhelmshaven ein Panzer an, der mit höchster Dringlichkeit auf seine Eignung für Fahrten unter Wasser erprobt werden sollte. Irgendwelche Weisungen oder ein Erprobungsprogramm waren nicht mitgegeben worden. Nach Angabe des Panzerführers handelte es sich um den ersten derartigen Versuch. Solche Panzer sollten im Falle der Eignung bei der Invasion in England „Seelöwe“ eingesetzt werden.

Nach kurzer Besprechung beim Oberwerftdirektor wurde der Verfasser mit der Leitung und Durchführung der Versuche beauftragt. Als Versuchsgelände wurde Schillig am Nordausgang der Jade vorgesehen.

Der Panzer war bereits mit Gummimanschetten zur Abdichtung gegen das Eindringen von Wasser an allen in Frage kommenden Stellen versehen worden. Er brachte ferner ein Rückschlagventil für die Auspuffleitung mit, welches ein Eindringen von Wasser in den Motor bei Unterwasserfahrt verhindern sollte, sowie einen Schnorchel, wie er später in größerer Konstruktion bei den U-Booten verwendet wurde. Der Schnorchel bestand aus einer biegsamen Schlauchleitung von etwa 10 m Länge, die auf der Panzerdecke mittels einer Verschraubung befestigt wurde und am anderen Ende in einem Schwimmkörper endigte. Während der Unterwasserfahrt entnahm der Motor dem Motorenraum die für die Verbrennung in den Zylindern erforderliche Luft, und diese wurde durch das Nachströmen über die Schnorchelleitung ersetzt.

Für die Erprobungen waren drei Schwimmkörper für die obere Schnorchelmündung mitgegeben worden von unterschiedlicher Größe und Formgebung. Auf dem Schwimmkörper befand sich ein etwa 1 m langes Rohr als Verlängerung der Schnorchelleitung sowie eine Antenne für die UKW-Anlage. Die UKW-Anlage gestattete eine ständige Verbindung während der Unterwasserfahrt zwischen dem Panzer und dem Leiter der Versuche.

Zur Vermeidung von Unfällen wurden alle erforderlich scheinenden Sicherungsmaßnahmen getroffen. Um den Panzer unter Wasser unter steter Kontrolle zu haben, wurden 2 Meßlatten von je 7 m Länge auf dem Panzer angebracht, rot bzw. grün gestrichen (Backbord bzw. Steuerbord) und mit gut sichtbaren Markierungen zum Ablesen der jeweiligen Wassertiefe versehen. Zwei Schwimmkräne von geringem Tiefgang wurden nahe der Versuchsstelle vor Anker gelegt. Auf beiden Kränen befanden sich Ärzte mit Hilfspersonal und den erforderlichen Geräten für die Wiederbelebung Verunglückter für den Fall, daß Wasser oder Abgase in den Panzer eindringen sollten. Ferner lagen ständig 2 Taucherfahrzeuge,

2 Schlepper und 2 Motorboote in höchster Bereitschaft neben den Kränen. Auf beiden Kränen wurden UKW-Stationen installiert.

Als erster Versuch wurde eine Alarm-Bergung des Panzers vereinbart. Zum schnellen Heben des Panzers hatte dieser eine Hahnepot erhalten, so daß der Taucher lediglich den Kranhaken in den Ring der Hahnepot einzuhaken und das Signal zum Heben zu geben hatte. Bei diesem Versuch wurde der Panzer aus 5 m Tiefe innerhalb weniger Minuten nach Auslösung des Alarms über die Wasseroberfläche gehoben. Die erreichte Zeit genügte nach Auffassung der Ärzte, um bei Unglücksfällen die Panzerbesatzung mit hoher Wahrscheinlichkeit retten zu können.

Bei der ersten Unterwasserfahrt fuhr der Panzer mit Hilfe seines Kompasses. Da er sich hierbei mehrere Male um sich selbst drehte, wurde er mittels UKW-Befehls gestoppt und ein Taucher zur Kontrolle der Einsinktiefe der Gleisketten hinuntergeschickt. Er konnte jedoch keinen merklichen Unterschied gegenüber dem Fahren auf dem nassen Strandsand feststellen. Der Panzer fuhr daher bei den folgenden Versuchen zunächst nach Befehlen der Leitung, die den Panzer durch die Meßlatten unter fester Kontrolle hatte. Nach diesen Erprobungen fuhr der Panzer auch nach seinem Kompaß vollkommen sicher und hielt einen befohlenen Kurs mit Richtungsänderungen einwandfrei durch.

Die größte Wassertiefe bei diesen Versuchen betrug 7 m. Größere Tiefen hätten zum Unterschneiden des Schwimmkörpers und damit zum Eindringen von Wasser in den Panzer führen können. Die Versuche wurden zunächst bei Stauwasser, danach auch bei stark laufendem Flut- bzw. Ebbestrom durchgeführt. Der Panzer lag auch bei starkem Strom in jeder erprobten Tiefe und in jeder Richtung — gegen, mit oder quer zur Gezeitenströmung — fest auf dem Sand, solange er sich in Bewegung befand. Wurde er bei Strom gestoppt — z. B. aus militärischen Gründen, um das Aufschließen anderer Panzer abzuwarten — so sank er innerhalb kurzer Zeit um etwa 20 cm in den Sand ein. Der diesen Versuch beobachtende Taucher meldete telefonisch, daß der Panzer aus eigener Kraft wahrscheinlich nicht mehr freikommen würde und daß der Auspuff auf dem Sand aufläge. Ein Schwimmkran wurde sofort heranbeordert, jedoch kam der Panzer mit eigener Kraft ohne größere Schwierigkeiten frei. Das Einsinken des gestoppten Panzers in den Sand bei stark laufendem Gezeitenstrom war eine wesentliche Erkenntnis dieser Versuche.

Alle Erprobungen wurden bei warmem und sonnigem Wetter und wenig Wind ausgeführt. Schlechtwettererprobungen sowie Horchversuche zur Feststellung der Entfernung, aus der ein unter Wasser marschierender Panzer erkannt werden konnte, mußten aus Zeitmangel unterbleiben. Der längste Versuch erstreckte sich über etwa eine Stunde, während der der Panzer unter Wasser blieb. Die Versuche hatten ergeben, daß Unterwasserfahrten von Panzern auf sandigem Grund bis zu 7 m Tiefe durchführbar waren. Erprobungen auf schlickigem Grund wurden von dem Panzerführer nicht für notwendig gehalten.

Ungeklärt blieb die Frage des Ausladens der Panzer aus den Transportschiffen an den Landestellen der englischen Küste. Hiermit beschäftigte sich anschließend das Schiffbauressort der Kriegsmarinewerft Wilhelmshaven. Die vorgesehenen Schiffe hatten meist zu kleine Ladeluken, zu schwache Ladegeschirre und zu schwache Winden, so daß weitgehende Umbauten erforderlich gewesen wären. Für das Zuwasserbringen der Panzer von den Transportschiffen wurden zunächst Landebrücken vorgesehen. Sie sollten seitlich der Ladeluken in schweren Scharnieren gehaltert und bei der Ausladung der Panzer auf den Meeresboden herabgeklappt werden. Viele Gründe ließen solche Brücken bald ungeeignet erscheinen, u. a. das große Gewicht — etwa 50 t — und die Länge der Brücken — etwa 15 m —. Da solche Brücken weder während der Fahrt der Schiffe noch an den Landestellen zu beherrschen waren, wurde diese Idee aufgegeben. Es wurde nun beabsichtigt, die Transportschiffe an den Landestellen vor Bug- und Heckanker zu legen und die Panzer mit laufendem Motor längsseits der Schiffe auf den Meeresgrund herunter zu lassen. Um von dem Schiff und den Ankerketten freizukommen, hätten sich die Panzer mittels ihres Kompasses unter Wasser vom Schiff freisetzen müssen. Bei solchen Manövern konnte der Schnorchel und damit der Panzer gefährdet werden. Versuche dieser Art wurden nicht durchgeführt.

So blieb das Zuwasserbringen der Panzer von den Transportschiffen eine unbefriedigende und letzten Endes ungelöste Angelegenheit.

C. *Bildung von Nachschuborganisationen bei der Kriegsmarinewerft in Wilhelmshaven und dem Kriegsmarinearsenal in Kiel*

1. Organisatorischer Aufbau des Nachschubressorts Wilhelmshaven

Im April 1940 wurden auf Anordnung des Oberbefehlshabers der Kriegsmarine, Großadmiral Raeder, bei den beiden Kriegsmarinewerften in Wilhelmshaven und Kiel Nachschubressorts geschaffen.

Beim Oberkommando der Kriegsmarine entstand aus der militärisch-technischen Abteilung im Allgemeinen Marineamt 1939 die Nachschubabteilung Skl/Q A III. Aus dieser entwickelte sich 1942 die Amtsgruppe für Nachschub- und Betriebsstoffbewirtschaftung (Skl/Q A III) mit der Nachschubabteilung, der Abteilung für Betriebsstoffbewirtschaftung und der Transportabteilung. Daneben bestanden beim Oberkommando Amtsgruppen für Beschaffung, Verwaltung und Nachschub von Artillerie-Waffen, Munition, Nebel- und Gasschutzgeräten (Artillerie-Arsenale), desgleichen für die Torpedowaffe, die Sperrwaffe, das technische Nachrichtenwesen usw.

Der Anordnung des Oberbefehlshabers entsprechend oblag den zu bildenden Nachschubressorts (IX) die Beschaffung, der Transport, die Lagerung, die Behandlung und Verwaltung sämtlicher Betriebsstoffe sowie die Versorgung der Seestreitkräfte in den deutschen Häfen und den besetzten Gebieten. Wilhelmshaven hatte für den Nordseebereich sowie für Holland, Belgien und Frankreich zu sorgen. Transporte nach Italien und den Bereich der Marinegruppe Süd wurden von Skl/Q A III jeweils besonders befohlen. Kiel hatte für den Ostseeraum, Dänemark und Norwegen Betriebsstoffe zu liefern. Für Norwegen wurden solche Transporte gelegentlich auch von Wilhelmshaven auf Anordnung von Skl/Q A III durchgeführt.

Bis zur Bildung der Nachschubressorts waren die Aufgaben auf zahlreiche Stellen verteilt. Die Beschaffung erfolgte teils vom Oberkommando der Kriegsmarine, teils von den Verwaltungsressorts der Kriegsmarinewerft Wilhelmshaven und des Kriegsmarine-Arsenals Kiel. Die übrigen Aufgaben wurden von den Ressorts der

Verwaltung, des Maschinenbaus, des Schiffbaus, der Ausrüstung und des Hafenbaus wahrgenommen. Die Prüfung ergab, daß die angeordnete Herauslösung der Beschaffung von Betriebsstoffen aus den bisherigen Bindungen während des Krieges aus vielfachen Gründen nicht möglich war. Die Zusammenfassung der übrigen Belange in den Nachschubressorts gelang termingerecht, wenn auch noch längere Zeit auf einigen Gebieten ein vorsichtiges Tasten notwendig war.

Der unmittelbare Anlaß zu dieser einschneidenden Organisationsänderung wenige Monate nach Kriegsbeginn waren Betriebsstoffversager auf U- und S-Booten. Die Erfahrungen des 1. Weltkrieges haben wahrscheinlich zu dieser Anordnung beigetragen. Konteradmiral (Ing) Berndt hatte bereits 1931 als Ingenieuroffizier beim Stabe des Chefs der Marineleitung, Admiral Raeder, gelegentlich einer Personalbesprechung darauf hingewiesen, daß die damals gültige Organisation für die Bewirtschaftung der Betriebsstoffe im Falle von Störungen an Maschinenanlagen von Kriegsschiffen es kaum möglich erscheinen lasse, die Schuldfrage zu klären. Die nun befohlene Zusammenfassung dieses Nachschubs sollte eine klare Verantwortung sicherstellen und eine Wiederholung von Versagern verhindern. Es darf bereits hier festgestellt werden, daß sich die neue Nachschuborganisation während des Krieges hervorragend bewährt hat.

Nachstehend sollen im wesentlichen die Organisation und einige größere Aufgaben des Nachschubressorts Wilhelmshaven geschildert werden.

Für das Nachschubressort Kiel lagen die Verhältnisse ähnlich. Der erste Direktor dieses Ressorts war Konteradmiral (Ing) Niemand.

Die Unterbringung des Ressorts in Wilhelmshaven erfolgte mangels eines geeigneten Gebäudes auf dem Dampfer „Njassa". Die Durchführung der gestellten Aufgabe wurde durch diese unzweckmäßige Unterbringung wesentlich erschwert. Der Direktor des Nachschubressorts (IX), Kapitän zur See (Ing) Zieb, unterstand dem Oberwerftdirektor der Kriegsmarinewerft Wilhelmshaven, Admiral v. Nordeck. Der folgende Organisationsplan zeigt den ersten Aufbau des Ressorts.

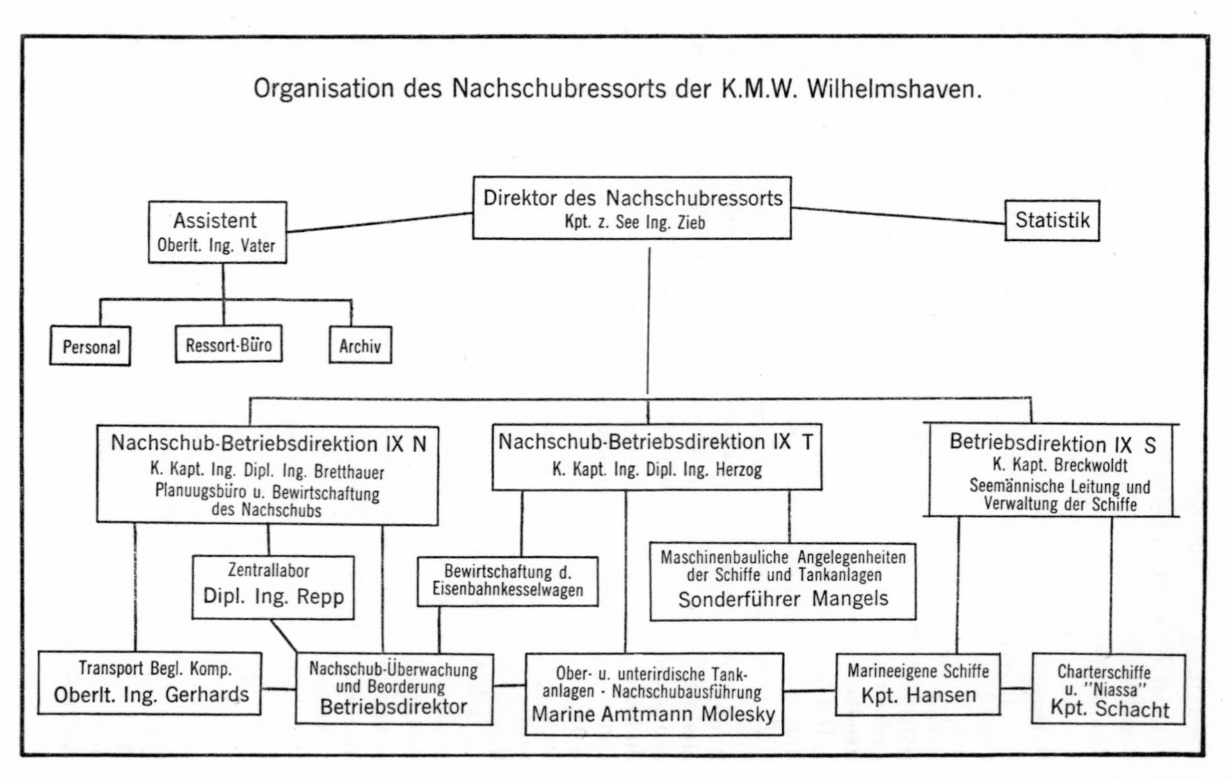
Organisation des Nachschubressorts der K.M.W. Wilhelmshaven.
Direktor des Nachschubressorts
Kpt. z. See Ing. Zieb
Assistent
Oberlt. Ing. Vater
Statistik
Personal
Ressort-Büro
Archiv
Nachschub-Betriebsdirektion IX N
K. Kapt. Ing. Dipl. Ing. Bretthauer
Planuugsbüro u. Bewirtschaftung
des Nachschubs
Nachschub-Betriebsdirektion IX T
K. Kapt. Ing. Dipl. Ing. Herzog
Betriebsdirektion IX S
K. Kapt. Breckwoldt
Seemännische Leitung und
Verwaltung der Schiffe
Zentrallabor
Dipl. Ing. Repp
Bewirtschaftung d.
Eisenbahnkesselwagen
Maschinenbauliche Angelegenheiten
der Schiffe und Tankanlagen
Sonderführer Mangels
Transport Begl. Komp.
Oberlt. Ing. Gerhards
Nachschub-Überwachung
und Beorderung
Betriebsdirektor
Ober- u. unterirdische Tank-
anlagen - Nachschubausführung
Marine Amtmann Molesky
Marineeigene Schiffe
Kpt. Hansen
Charterschiffe
u. "Niassa"
Kpt. Schacht

Dem Direktor (IX) unterstand ein Assistent, der für das Personalbüro, das Ressortbüro (Kanzlei und Registratur) und das Archiv verantwortlich war, ferner ein statistisches Büro, das von einem Volkswirtschaftler geleitet wurde. Hier wurden durch Tabellen und graphische Darstellungen die Bewegungen der Bestände durch Zu- und Abgänge von Betriebsstoffen sowohl in der Gesamtheit wie in den einzelnen Abgabestellen (Marine-Ausrüstungsstellen und Tanklagern) kontrolliert. Da Sollbestände für Marine-Ausrüstungsstellen von höherer Stelle nicht befohlen wurden, legte Ressort IX auf Grund der laufenden Erfahrungen für die Statistik solche Sollbestände für den eigenen Gebrauch fest, deren Höhe bei Verlegung von Seestreitkräften geändert wurde. Wurden die so festgesetzten Sollbestände unterschritten, so gab die Statistik „Sollalarmzettel" an IX, IX N und das Archiv. IX N war der Motor, der gegebenenfalls die Bestände zu ergänzen hatte. Das Archiv heftete die Alarmzettel ab. Eine Herausgabe von Unterlagen, die an das Archiv gelangten, war selbst an Betriebsdirektoren verboten.

Das Nachschubressort war in 3 Betriebsdirektionen unterteilt: die Nachschub-Betriebsdirektionen IX N, IX T und IX S. Dem Betriebsdirektor IX N unterstanden die Transportbegleitkompanie, für die er zugleich höherer Disziplinarvorgesetzter war, das Zentrallaboratorium und die Abteilung für Nachschubbeorderung und Überwachung.

Die Aufstellung der Transportbegleitkompanie erfolgte auf Anordnung des Oberkommandos der Kriegsmarine auf Grund von Fehlleitungen von Waggons und durch andere Versager, die z. B. durch das Heißlaufen von Lagern an Eisenbahnwagen entstanden. Solche schadhaften Waggons wurden oftmals auf Abstellgleisen oder auf kleinen Bahnhöfen abgestellt, ohne daß die beordernde Stelle etwas von dem Ausfall erfuhr. Der Verbleib dieser Waggons mit ihren Ladungen war meist schwer und erst nach Tagen zu ermitteln. Im weiteren Verlauf des Krieges kamen Beraubungen und Sabotageakte hinzu. Die Anforderungen an die Transportbegleit-Kompanie stiegen dadurch außerordentlich, so daß ihr Personalstand allmählich auf mehr als 1100 Mann erhöht werden mußte. Sie bestand zunächst aus 80 Alpenjägern, die sich zur Marine gemeldet hatten, um als erste in England landen zu können. Diese prächtigen Soldaten waren als Transport-Begleiter durchaus fehl am Platze. Danach wurden meist ältere Leute kommandiert (Kaufleute, Lehrer, Angestellte, Handelsvertreter usw.), die nicht kriegsverwendungsfähig waren. Die Transportbegleiter haben den an sie gestellten strapaziösen Anforderungen stets genügt und z. T. Hervorragendes geleistet. Im russischen Partisanengebiet wurden sie wiederholt in Feuergefechte verwickelt. Während der mehrwöchigen Fahrten nach Rußland und zurück waren diese alten Leute meist auf kalte Verpflegung angewiesen und lebten in ungeheizten Waggons. Sie führten Transporte auf Eisenbahnen, Kraftfahrzeugen, Flugzeugen und Schiffen durch. Der Stolz dieser alten Männer auf ihre Leistungen spricht aus dem Wappen, das sich die Transportbegleit-Kompanie zulegte, und das dann vom Nachschubressort übernommen wurde.

Besondere Aufmerksamkeit und eine feste Führung erforderten die chemische Überwachung der Betriebsstoffe und die hierfür erforderlichen organisatiorischen und personellen Maßnahmen. Die Versager, die zur Bildung der Ressorts geführt hatten, hatten hier ihren Ausgangspunkt gehabt. Die von dem Chef-Chemiker vorgeschlagene Errichtung von Labors, die in der Lage gewesen wären, Vollanalysen der Betriebsstoffe an allen Abgabestellen durchzuführen, war weder durchführbar noch erschien dies notwendig. Daher wurde beim Ressort ein Zentrallabor errichtet, dem nach besonderen Weisungen versiegelte Proben der Betriebsstoffe von den Abgabestellen mit spezieller Numerierung, deren Schlüssel nur IX N und das Archiv besaßen, zugesandt wurden. Außerhalb der Zuständigkeit des Zentrallabors wurden diese Analysen nach Gegenzeichnung des Chef-Chemikers von IX N geprüft. Dieser stellte sie spätestens am Tage der Inmarschsetzung der betr. Betriebsstoffe dem Archiv zu, wo sie jedem Zugriff entzogen waren. Die wichtigsten Abgabestellen wurden mit Angestellten besetzt, die für die Durchführung von Teilanalysen ausgebildet und ausgerüstet waren. Diese Handhabung hat sich bewährt und bis Kriegsende einwandfrei gearbeitet.

Die Abteilung für Nachschub-Beorderung gab den planmäßigen oder befohlenen Abruf von Betriebsstoffen im Falle von Eisenbahntransporten an die Abteilung für die Bewirtschaftung der Eisenbahnkesselwagen sowie an die Abteilung für Nachschubausführung unter Benachrichtigung der Eisenbahntransportkommandantur, im Falle von Schiffstransporten an die Abteilung für Nachschubausführung und die Abteilungen für marineeigene bzw. Charterschiffe, die im letzteren Falle den Dampfer an den zuständigen Seebefehlshaber fahrbereit meldete. Das Archiv kontrollierte die termingerechte Ausführung.

Die Betriebsdirektion IX T hatte die technischen Angelegenheiten der Schiffe und Tankanlagen durchzuführen, die Betriebsdirektion IX S die seemännische Leitung und Verwaltung der Schiffe.

2. Die Ölhöfe

Die flüssigen Betriebsstoffe (Heizöl, Treiböl, Schmieröle) wurden mit Eisenbahnkesselwagen aus den Erstellungsgebieten den Tanklagern im Nord- und Ostseegebiet zugeführt. Die Steuerung oblag dem Oberkommando der Kriegsmarine. Für diese Zwischenlagerung standen zahlreiche unter- und oberirdische Tankanlagen von umfangreichem Fassungsvermögen zur Verfügung. Zum Ressort IX Wilhelmshaven gehörten die unterirdischen Tankanlagen Nordenham, Achim, Farge und Bleckede. Sie führten die Bezeichnung „Ölhöfe". Ferner gehörten zum Ressort sämtliche oberirdischen Tankanlagen in und um Wilhelmshaven sowie zahlreiche Tankanlagen im Bereich der Marinestation der Nordsee. Die „Ölhöfe" waren eine Neuschöpfung der Kriegsmarine; ihr Bau wurde 1937 begonnen. Das Fassungsvermögen dieser unterirdischen Behälter war auf Grund des Flottenbauprogramms, des „Z-Plan", Mitte 1938 auf 9,6 Millionen cbm festgelegt worden. Die Fertigstellung sollte bis 1943 erfolgen. Bei der Gründung des Nachschubressorts waren rund 1,2 Millionen cbm unterirdischen Tankraumes fertiggestellt, der Rest in Bau gegeben. Jeder der unterirdischen Behälter faßte im allgemeinen 20000 cbm. Die einzelnen Tanks waren durch kilometerlange hohe unterirdische Rohrleitungskanäle miteinander und mit den unterirdischen Pumpstationen verbunden. Viele Millionen cbm Erde mußten beim Bau dieser Anlagen durch Bagger und Feldbahnen bewegt werden. So stellten die Ölhöfe ein ungeheures Bauvorhaben dar.

Da mit Kriegsbeginn die Grundlagen dieser Planung hinfällig geworden waren, hätte sie einer gründlichen Prüfung unterzogen werden müssen. Hierfür lagen auch andere wichtige Gründe vor. Der gesamte Bestand der Kriegsmarine bei Kriegsbeginn belief sich an Heizöl auf etwa 350 000 t und an Treiböl (Diesel) auf 650 000 t. Mehr als diese Bestände konnte allein in den bereits fertiggestellten unterirdischen Tankanlagen gelagert werden. Da jedoch ein großer Teil dieser Betriebsstoffe in oberirdischen Tanks der Häfen von der spanischen Grenze über Nord- und Ostsee bis hinauf nach Narvik in Norwegen für den Sofortgebrauch der Seestreitkräfte bereitliegen mußte, lagen nach Abschluß des Feldzuges gegen Frankreich in den unterirdischen Tankanlagen nur noch etwa 200 000 t Heizöl und 300 000 t Treiböl. Daher stand bereits zu diesem Zeitpunkt etwa die Hälfte des unterirdischen Tankraumes leer. Während des Krieges war — wenn überhaupt — mit einer wesentlichen Zunahme der Bestände nicht zu rechnen, es sei denn, daß die Ausbeutung der Ölvorkommen im Kaukasus geglückt wäre. Unter diesen Gesichtspunkten beantragte Ressort IX Ende Juni 1940 die Einstellung des Baues der Ölhöfe. Neben vorstehenden Ausführungen wurde in dem Antrage zum Ausdruck gebracht, daß bei diesen Bauvorhaben viele tausend Arbeiter unnötigerweise beschäftigt wurden. Durch die Stillegung konnten Zehntausende von Tonnen Zement, Tausende von Tonnen Moniereisen (bis 40 mm), ferner Bleche, Rohrleitungen, Pumpenanlagen usw. eingespart werden. Der Einsatz mehrerer Dutzend Bagger zum Ausschachten der Baugruben konnte an anderer Stelle erfolgen. Der Antrag war also sowohl logistisch wie bestandsmäßig begründet. Er wurde jedoch zunächst abgelehnt, und erst weitere Schreiben führten dazu, daß nur noch diejenigen Anlagen ausgeführt wurden, für welche die Beschaffungen bereits erfolgt waren.

Wie unnötig diese Bauten tatsächlich waren, ergibt sich aus folgenden Auszügen aus dem Kriegstagebuch der Kriegsmarinewerft Wilhelmshaven:

1. Am 5. 4. 1945 wurden der Organisation Todt für Bagger zur Erstellung von Schützengräben — durch Entscheidung des Oberwerftdirektors! — 300 Liter Treiböl zur Verfügung gestellt.
2. Das Marine-Lazarett beantragte am 9. 4. 1945 einige tausend Liter Diesel, da der Netzstrom ausgefallen war. Tagesbedarf 400 Liter. Zuteilung aus den Restbeständen der Kriegsmarinewerft war nicht möglich.

3. Am 10. 4. 1945 Restbestand der Kriegsmarinewerft 170 cbm Diesel, die für Bunkerung von U-Booten verbleiben mußten.
4. Am 13. 4. 1945 Befehl des Oberbefehlshabers der Kriegsmarine, Norddeich täglich 200 kg Diesel zur Verfügung zu stellen. Die Kriegsmarinewerft meldete, daß diese Versorgung nur noch kurze Zeit möglich sei.
5. Bei der Marine-Ausrüstungsstelle Emden lagerten am 24. 4. 1945 nur noch 126 cbm Diesel zur Bebunkerung von U-Booten. 5 cbm wurden anordnungsgemäß dem Fallschirm-Armeeoberkommando zur Verfügung gestellt.

Diese Aufstellung beweist, wie knapp die Bestände bei Kriegsschluß waren. Sie haben zu keinem Zeitpunkt des Krieges den Weiterbau der Ölhöfe gerechtfertigt.

3. Nachschub für „Seelöwe“

Während das am 1. 4. 1940 geschaffene Nachschubressort Wilhelmshaven noch um seine endgültige Gestaltung rang und zahlreiche Anlaufschwierigkeiten zu überwinden hatte, wurden die beiden Nachschubdirektoren von Kiel und Wilhelmshaven zu einer Besprechung nach Paris befohlen, wo sie vom Oberbefehlshaber der Marinegruppe West, Admiral Saalwächter, — die Gruppe war noch nicht voll besetzt — am 21. 7. 1940 über die Grundgedanken des Unternehmens „Seelöwe“ unterrichtet und mit den sich daraus ergebenden Nachschubforderungen im Prinzip bekannt gemacht wurden. Nach Besichtigung der Kanalhäfen in den folgenden zwei Tagen stellte sich heraus, daß ihre Auffassungen über den notwendigen Zeitbedarf für die Erfüllung der gestellten Forderungen weitgehend auseinandergingen. Der Grund hierfür lag im wesentlichen in der unterschiedlichen Beurteilung von Behelfsmaßnahmen, z. B. in dem Fehlen von Verdampfern für die Erstellung von Destillat für die Zerstörer, in den vollkommen unzureichenden Tankanlagen für die Lagerung von Heiz- und Treiböl. Erschwerend kam hinzu, daß über die Zahl und Art der Seelöwe-Fahrzeuge und ihre Liegeplätze keine ausreichenden Angaben zu erhalten waren. Erst im Laufe des August war zu erkennen, daß etwa 160 Transportdampfer, 400—500 Schlepper und Fischdamper, etwa 1500

Motorboote und etwa 2000 Prähme — z.T. ohne Antrieb — zu versorgen waren, insgesamt also etwa 4000 Schiffe. Hinzu kamen die Seestreitkräfte, über die zunächst ebenfalls keine genügenden Daten zur Verfügung standen. Erst Ende August standen die Aufmarsch- und Ausweichhäfen in etwa fest, ebenso die wahrscheinlich einzusetzenden Seestreitkräfte, nämlich 5 Topedoboots-Flottillen, 2 Zerstörer-Flottillen, 9 Minensuch-Flottillen, 6 Räumboots-Flottillen, 10 Vorposten-Flottillen, 3 Schnellboots-Flottillen, 3 Sperrbrecher-Flottillen, insgesamt etwa 320 Kriegsschiffe.

Eine andere Schwierigkeit war die Bereitstellung unterschiedlicher Schmieröle usw. für mehrere tausend Fahrzeuge verschiedenster Art, deren Betriebsstoffe unbekannt waren.

Da über die Art der verwendeten Schmieröle keine ausreichende Auskunft zu erhalten war, mußten aus mehr als 100 Fahrzeugen Proben entnommen und im Labor in Wilhelmshaven untersucht werden.

Jedes dieser Schiffe einschließlich der Prähme ohne Antrieb sollte eine möglichst große Zahl von Behältern für Trinkwasser mitbekommen, da mit der Vernichtung der Brunnen im Landungsraum der englischen Küste gerechnet wurde. Die rechtzeitige Beschaffung von Tausenden solcher Behälter erschien schwierig.

Die Aufstellung von Marine-Ausrüstungs- und Versorgungsstellen entlang der holländisch-belgisch-französischen Küste war nach der Besetzung sofort vom Oberkommando der Kriegsmarine befohlen worden. Infolge der überraschend schnellen Beendigung des Feldzuges waren jedoch keine ausreichenden Vorbereitungen hierfür getroffen worden. Es wäre auf Grund der Erfahrungen der Chinawirren, des Hereroaufstandes, des Königsbergeinsatzes in Ostafrika und des 1. Weltkrieges notwendig gewesen, eine ausreichende Zahl von Ingenieuroffizieren, insbesondere solchen der Reserve, für diese Aufgaben auszubilden. Da dies nicht geschehen war, traten diese Offiziere ihre Stellungen meist ohne Vorbereitung an und mußten sich erst durch Herumfragen unterrichten. Sie haben trotzdem Gutes und z. T. Vorzügliches geleistet, aber sie hätten mindestens mit einer Dienstanweisung versehen werden müssen. Ende 1939 hatte der Direktor des Ausrüstungsressorts der Kriegsmarinewerft Wilhelmshaven, Kapitän z. See (Ing) Bornemann aus seiner Kenntnis der entsprechenden Verhältnisse des

1. Weltkrieges den Antrag beim Oberwerftdirektor gestellt, eine Dienstanweisung für die Marine-Ausrüstungsstellen aufzustellen. Damals war die Aufstellung der Marine-Ausrüstungsstellen in Emden und Cuxhaven beabsichtigt, in Pillau und Swinemünde bestanden solche Dienststellen bereits mit umfangreichen Reparaturbetrieben. Auf diesen Antrag wurde von den zuständigen Ressorts im Laufe von 5 Jahren eine Dienstanweisung für die Marine-Ausrüstungsstellen entworfen. Sie war jedoch Ende 1944 — kurz vor Kriegsschluß — weder von den beteiligten Ressorts gegengezeichnet, noch vom Oberwerftdirektor vollzogen. So blieben sämtliche Marine-Ausrüstungsstellen von der spanischen Grenze bis Narvik und bis zum Kubanbrückenkopf während des Krieges ohne eine Dienstanweisung. Diese Unterlassung hat sich logistisch an vielen Stellen zum Nachteil der Kriegführung ausgewirkt. Nur durch die Initiative der als Leiter von Marine-Ausrüstungsstellen kommandierten Ingenieur-Offiziere konnten die Forderungen der Kriegsschiffe auf Durchführung von Reparaturen in steigendem Maße erfüllt werden.

Nach Prüfung der Nachschubforderungen für „Seelöwe“ erklärte der Direktor des Ressorts IX der Kriegsmarinewerft Wilhelmshaven, die gestellten Nachschubforderungen innerhalb der gestellten Frist von 8 Wochen erfüllen zu können unter der Voraussetzung der sofortigen Verlegung mit einem Teil seines Stabes in Höhe von 3 Offizieren und 38 Angestellten nach Paris und unter gleichzeitiger Weiterführung der Dienstgeschäfte des Nachschubressorts Wilhelmshaven. Durch diese Verbindung sollte eine prompte Erfüllung der vom Nachschub in Paris gestellten Forderungen gewährleistet werden. Am 26. 7. beauftragte die Seekriegsleitung den Verfasser mit der Durchführung, am 28. 7. traf er mit seinem Stabe in Paris ein.

Der fristgerechten Durchführung stellten sich zahlreiche, z. T. vorher nicht erkannte Schwierigkeiten entgegen. Sie können im Rahmen dieses Buches nur kurz skizziert werden. Die Zuführung von Betriebsstoffen zu den Liegeplätzen der Kriegsschiffe und sonstigen Fahrzeuge für „Seelöwe“ und damit zu den dort eingerichteten oder im Aufbau begriffenen Marine-Ausrüstungsstellen erfolgte z. T. durch marineeigene Schiffe bzw. durch Charterschiffe und andererseits durch Eisenbahnwaggons und Eisenbahnkesselwagen. In den Einsatzhäfen wurden von den Marine-Ausrüstungsstellen die vorhandenen Tankanlagen erfaßt. Sie reichten jedoch in keiner Weise für die errechnete Bevorratung aus. Für die Lagerung von Heizöl mit einem höheren spezifischen Gewicht als 1 wurden daher auch zerbombte Tankanlagen benutzt, deren Decken zerstört waren. Die Benutzung solcher Tankanlagen hat sich durchaus bewährt. Da diese Anlagen auf den Photos der feindlichen Flieger ein Bild der Zerstörung boten, ließen sie wahrscheinlich nicht die Vermutung weiterer Benutzung aufkommen. Unter anderem wurden auch große Leinöltanks für die Einlagerung von Betriebsstoffen erfaßt, deren Reinigung wegen des starken Ölschlamms erhebliche Schwierigkeiten bereitete. Ferner wurden durch die Organisation Todt eine Reihe von kleinen Bunkern (200—300 cbm) schnell erbaut. Für die Einlagerung von Treiböl wurden diese Bunker mit Aluminiumfolie ausgekleidet. Solange die Aluminiumfolie dichthielt, waren die Behälter voll geeignet. Durch sorgfältige chemische Überwachung konnten Beschädigungen mehrfach rechtzeitig erkannt und Schaden für die Seestreitkräfte verhütet werden. Vor allem wurden französische Binnenwasserschiffe in großem Umfange erfaßt, sogenannte Penischen, sie faßten zwischen 200 und 500 cbm Heiz- bzw. Treiböl. Die Lagerung in diesen Schiffen hatte den Vorteil, daß die mit Betriebsstoffen zu versorgenden Seestreitkräfte ihren Liegeplatz beliebig wählen konnten — die Penischen kamen längsseits — und ferner konnten die Penischen durch häufigen Wechsel des Liegeplatzes den Angriffen der Flieger leichter entzogen werden.

In allen Häfen stieß die Versorgung der mit Hochdruckheißdampfanlagen angetriebenen Seestreitkräfte auf kaum überwindlich erscheinende Schwierigkeiten hinsichtlich der Bereitstellung des Destillats. Die Forderung der Marinegruppe West sah für 5 Einsatzhäfen die Einlagerung von je mindestens 200 cbm Destillat für Zerstörer vor. Destillat wird schon durch sehr geringe Verunreinigungen für Hochdruckdampfanlagen unbrauchbar. Es wurde zu diesem Zeitpunkt ausschließlich in besonderen Verdampfern in Kiel und Wilhelmshaven hergestellt. Die Lieferung erfolgte im Frieden durch wenige besonders hergerichtete Schiffe, die jedoch in den Heimathäfen nicht abkömmlich waren. Da die Aufstellung von Verdampfern in den Absprunghäfen nicht fristgerecht durchgeführt werden konnte, wurden französische Eisenbahnkesselwagen und Binnenschiffe erfaßt, die für den Transport von Weinen emaillierte Behälter besaßen. Diese Schiffe hatten ein Fassungsvermögen von 200 cbm und entsprachen daher der Forderung der Marinegruppe West. Einige Weinpenischen wurden von Bordeaux um Brest herum nach den Kanalhäfen beordert. Hierbei brach eine Penische im Seegang bei Kap Ouessant und ging verloren; die Mannschaft wurde gerettet.

Für die befohlene Bereitstellung von großen Trinkwasservorräten auf den Schiffen wurden über den Militärbefehlshaber in Paris mehrere tausend Weinfässer erfaßt und in die Einsatzhäfen transportiert. Nach der Reinigung wurden sie forderungsgemäß nur soweit gefüllt, daß sie im Falle der Versenkung des Schiffes aufschwimmen und durch die Brandung ans Ufer gespült werden konnten. Das Trinkwasser wurde durch Zusatz von Chemikalien gegen Fäulnis geschützt. Es muß wohl auch ein Wort über das nebensächlich scheinende Füllen dieser Fässer gesagt werden. Dies erwies sich als wesentlich schwieriger, als angenommen worden war. Wegen ihres Gewichtes konnten die Fässer im allgemeinen nur in leerem Zustande an Bord gegeben und dort erst gefüllt werden. In den kleineren Häfen standen keine Hydranten zur Verfügung. Eine weitere Erschwerung brachte ein Bombenangriff auf Le Havre, der im September die gesamte Wasserversorgung zum Ausfall brachte. Hier wie in den kleineren Häfen wurden Straßensprengwagen aus verschiedenen Städten zur Füllung der Weinfässer erfaßt, sie holten das Wasser z.T. weit her. Die Füllung eines Fasses von 500 Liter Fassungsvermögen durch diese Wagen erforderte in Abhängigkeit von den örtlichen Verhältnissen, der Länge der Schlauchleitungen zwischen Wagen und Schiff usw., bis zu 3 Stunden.

Alle logistischen Aufgaben wurden in engem Einvernehmen mit den Kriegsmarine-Dienststellen und dem Militärbefehlshaber in Paris getroffen. Die Hauptlast dieser Vorbereitungen für „Seelöwe" hatten die Leiter der Marine-Ausrüstungsstellen zu tragen, ihr Personal wurde oft bis zur Grenze des Möglichen eingespannt. Solche Marine-Ausrüstungsstellen waren in 14 Häfen eingerichtet worden, sie hatten meist noch Nebenstellen. Da die Telefonleitungen zwischen Paris und den Häfen tagsüber überlastet waren, forderte der Direktor des Ressorts IX, daß die Leiter für ihn nachts stets zu erreichen seien. Er unterrichtete sich durch diese Gespräche in den ersten 6 Wochen über wesentliche Vorkommnisse in allen Häfen und traf auf diesem Wege seine Anordnungen. Zu knappe Personalstärken brachte die Leiter wiederholt dahin, daß sie die Übernahme weiterer Aufgaben glaubten ablehnen zu müssen. Korvettenkapitän (Ing) Münemann vom Stabe des Kommandierenden Admirals in Frankreich ist es zu verdanken, wenn es schließlich gelang, die fast unendliche Vielzahl dieser logistischen Aufgaben der Marine-Ausrüstungsstellen termingerecht durchzuführen. Personalverluste durch Fliegerangriffe vermehrten die Schwierigkeiten, Lagerbestände und Werkstätten wurden zerstört und mußten beschleunigt wieder ergänzt bzw. hergerichtet werden. Bis Ende September sanken 6 Penischen in den Einsatzhäfen, sie hatten nur geringe Heiz- bzw. Treibölbestände an Bord. Ersatz für diese Fahrzeuge war genügend vorhanden.

Störungen an Maschinenanlagen und Beschädigungen durch Feindeinwirkung an den Kriegsschiffen von der spanischen bis hinauf zur deutschen Grenze führten zu wachsenden Forderungen der Seestreitkräfte, ausreichende Reparaturmöglichkeiten zu schaffen. So entstand für die Marine-Ausrüstungsstellen die Notwendigkeit, Werkstätten zu erstellen oder zerstörte wieder herzurichten. Sie hätten in diesen Belangen zentral zusammengefaßt werden müssen. Die Marine-Ausrüstungsstelle Lorient wurde als erste in ein Kriegsmarine-Arsenal und gleich darauf im August 1940 in eine Kriegsmarinewerft umgewandelt, der bisherige Leiter, Korvettenkapitän (Ing) Seidel wurde durch Vizeadmiral Stobwasser abgelöst. Das Kriegsmarine-Arsenal Brest wurde im November 1940 in eine Kriegsmarinewerft umbenannt, die Marine-Ausrüstungsstelle St. Nazaire im Januar 1941, die Marine-Ausrüstungsstelle La Pallice-Rochefort im Januar 1941 und die Marine-Ausrüstungsstelle Bordeaux im Juli 1942. Die Kriegsmarinewerften wurden durch den Oberwerftstab in Paris gesteuert, die Marine-Ausrüstungsstellen — soweit sie erhalten blieben — waren weiter auf sich gestellt.

Nach der Aufgabe des Unternehmens „Seelöwe" verlegte das Ressort IX Wilhelmshaven mit seinem Stabe von Paris nach Wilhelmshaven zurück.

4. Umstellung der Eisenbahntransporte auf Binnenwasserstraßen

a) *Der Entzug der Eisenbahnkesselwagen durch OKW*

Im Mai 1941 wurden dem Oberkommando der Kriegsmarine durch Anordnung des Oberkommandos der Wehrmacht fast sämtliche Eisenbahnkesselwagen entzogen. Sie wurden für den Feldzug gegen Rußland benötigt und sollten die Versorgung der Panzer, Kraftfahrzeuge, Flugzeuge usw. durchführen. Durch diese Maßnahme erschien dem Oberkommando der Kriegsmarine die Versorgung der Seestreitkräfte im Westen mit flüssigen Betriebsstoffen unmöglich zu sein. Es meldete daher, daß der Einsatz der Seestreitkräfte im Westraum infolge Entzuges der Eisenbahnkesselwagen in absehbarer Zeit nicht mehr gewährleistet sei. Für diese Meldung war mitbestimmend, daß in Brest die Schlachtschiffe „Scharnhorst", „Gneisenau" sowie der Schwere Kreuzer „Prinz Eugen" lagen, zeitweise auch „Hipper". Ihre Versorgung in See erfolgte durch spezielle Versorgungsschiffe, Troßschiffe genannt.

b) *Prüfung der Transportmöglichkeiten auf Binnenwasserstraßen*

Auf Grund des Befehls zur Abgabe der Eisenbahnkesselwagen schlug Ressort IX Wilhelmshaven den Transport der flüssigen Brennstoffe auf dem Binnenwasserweg vor. Die vorstehenden Maßnahmen für „Seelöwe" hatten das Nachschubressort in die Notwendigkeit versetzt, sich mit den Transportmöglichkeiten auf dem Binnenwasserwege nach den besetzten Westgebieten zu befassen. Dadurch waren dem Ressort die Binnenwasserstraßen nebst Schleusen, ihre Durchlässigkeit und Leistungsfähigkeit, der Bestand an Öl-Penischen und die bei solchen Transporten zu erwartenden Schwierigkeiten in den Grundzügen bekannt. Unbekannt dagegen war die Dauer solcher Transporte. Das Ressort war sich der aus solcher Umstellung resultierenden Schwierigkeiten und selbst der Möglichkeit eines Fehlschlages durchaus bewußt. Jedoch erschien der vorgeschlagene Weg nach Lage der Dinge die einzige Chance der weiteren Versorgung der Seestreitkräfte in den Westgebieten zu sein. Allerdings konnte durch Zerstörung einiger der zahlreichen Schleusen dieser Transport für längere Zeit oder auch für dauernd unbrauchbar gemacht werden. Auf dem Binnenwasserwege Gent bis Paris waren z. B. mehr als 60 Schleusen zu durchfahren. Andererseits hatten die belgischen wie auch die französischen Wasserstraßen zahlreiche Ausweichkanäle. Mit der Verlegung der Transporte auf die Binnenwasserstraßen war eine nicht unerhebliche Unsicherheit in der Versorgung der Seestreitkräfte verbunden, umsomehr, als eine unkontrollierbare Zahl von damals feindlichen Ausländern ständig und in allen Einzelheiten über alle Transportvorgänge und damit auch über ihre Wichtigkeit für die Kriegführung zwangsläufig und fortlaufend unterrichtet war.

Obwohl das Oberkommando der Kriegsmarine ernste Bedenken gegen diesen Vorschlag hatte und anfangs die Durchführbarkeit bezweifelte, andererseits aber auf die Rückgabe einer ausreiden Zahl von Eisenbahnkesselwagen während der Dauer des Feldzuges gegen Rußland nicht zu rechnen war, wurde Ressort IX Wilhelmshaven mit der Durchführung der Transporte auf dem Binnenwasserwege beauftragt.

Während bisher ein Transport von 800 t Betriebsstoff mit etwa 40 Eisenbahnkesselwagen von den Ölhöfen im Nordseegebiet, z. B. von dem Ölhof Achim bei Bremen nach St. Nazaire 3—7 Tage benötigte, konnte über die Dauer solcher Transporte auf den Binnenwasserstraßen zunächst keine einwandfreie Angabe ermittelt werden. So schwankten die Aussagen der befragten französischen Stellen über die Dauer von Transporten von Gent nach Rouen zwischen 3 bis 4 Wochen. Nach dem Anlaufen stellte sich heraus, daß dieser Weg nur 9—12 Tage beanspruchte. Ungewiß und abhängig von der Witterung blieb der Transport in den Wintermonaten.

Zunächst waren zahlreiche Vorbereitungen zu treffen, um den Nachschub auf den Binnenwasserstraßen schnell in Gang zu bringen. Es war vorauszusehen, daß die Vorräte im Westen in etwa 4—6 Wochen aufgebraucht sein würden. Die Seekriegsleitung forderte natürlich, daß ausreichende Öltransporte rechtzeitig in den Einsatzhäfen des Westens eintrafen.

Der dem Oberkommando vorgelegte Plan des Nachschubressorts sah in den Grundzügen Folgendes vor:

c) *Der Transportplan*

a) Die flüssigen Brennstoffe für die Westgebiete werden im Gegensatz zu der bisherigen Handhabung nicht mehr im Nordseebereich, sondern im Raum von Duisburg bereitgestellt. Der bisher übliche Umweg über die Öllager des Nordseebereichs kam damit in Fortfall, wodurch wesentliche Zeit gespart wurde.

b) In Duisburg wird eine Abrufstelle eingerichtet, die auf Anordnung des Ressorts die geforderten Betriebsstoffe auf größeren Binnenwasserschiffen — im allgemeinen 600—1350 t Fassungsvermögen — nach Gent bzw. Kehl-Straßburg in Marsch setzt.

c) In Gent und Kehl werden Zweigstellen des Nachschubressorts Wilhelmshaven errichtet, die die ankommenden Betriebsstoffe entweder in den vorhandenen ortsfesten Tankanlagen einlagern oder sie sofort in Penischen umschlagen. Die Penischen hatten größtenteils ein Fassungsvermögen von 200 t. Dieser Umschlag war erforderlich, weil die anschließenden Kanäle und Flußläufe im allgemeinen nur Schiffe von 200 t und einem entsprechenden Tiefgang zuließen. — Gent soll ferner die Versorgung der Häfen im holländisch-belgischen Raum mit Hilfe von Penischen und Küstentankern durchführen.

d) Von Gent wird der Betriebsstoff mit den Penischen über Lille—Douai—Peronne—Compiègne bis zur Einmündung der Oise in die Seine bei Pontoise befördert, um dann teils nahe Paris, teils in Rouen in vorhandenen Tankanlagen zwischengelagert zu werden. Von dort sollen die Betriebsstoffe durch kleine Küstentanker oder französische Eisenbahnkesselwagen in die benachbarten Häfen gelangen.

e) Von Kehl gelangt der Betriebsstoff ebenfalls mit Penischen von 200 t Fassungsvermögen durch den Rhein-Marne-Kanal über Nancy—Bar-le-Duc—Chalons—Meaux nach Paris. Von hier werden die Penischen weiter, je nach den vorliegenden Notwendigkeiten, nach Rouen oder seineaufwärts über Montargis und Bourges durch den Kanal du Berry bis Nogers, dann loireabwärts nach Nantes dirigiert. Dieser Weg bot zahlreiche Schwierigkeiten in Abhängigkeit von den Wasserständen. Oftmals war nur eine Abladung bis zu hundert Tonnen möglich.

Dieser Plan zur Durchführung der Transporte auf den Binnenwasserstraßen wurde vom Oberkommando der Kriegsmarine genehmigt.

Die folgende Karte gibt ein ungefähres Bild der in Belgien und Frankreich benutzten Wasserstraßen.

Transporte auf Binnenwasserstrassen

d) *Die Ausführung des Transportplans*

Sofort nach der Anordnung des Oberkommandos der Kriegsmarine zur Durchführung der Transporte auf den Binnenwasserstraßen wurde in einer Besprechung beim Militärbefehlshaber in Paris unter Teilnahme der zuständigen Stellen des Kommandierenden Admirals Frankreich und unter Hinzuziehung französischer Reeder ein Vertrag abgeschlossen, in dem die Gestellung bis zu 400 Penischen sowie die Abfindung der Reeder und Schiffsbesatzungen geregelt wurde. Die zahlreichen Besprechungen mit den zuständigen Stellen des Militärbefehlshabers über Transportfragen wurden im wesentlichen durch die Korvettenkapitäne (Ing) Hahn und Münemann geführt. Sie waren für das schnelle Anlaufen der neuen Organisation von besonderer Bedeutung.

Bei diesen Verhandlungen zeigte sich, daß die in der Aufstellung begriffene Transportorganisation nicht aus Wilhelmshaven gesteuert werden konnte. Infolgedessen verlegte der Chef des Nachschubressorts mit einem kleinen Stab im Einvernehmen mit den zuständigen Stellen seinen Sitz nach Paris unter Beibehaltung seiner sonstigen Nachschubaufgaben bei der Kriegsmarinewerft Wilhelmshaven. Um den Abruf der Betriebsstoffe von den Marine-Ausrüstungsstellen mit dem Zulauf zu koordinieren, übernahm er später auch die Aufgaben des Ingenieuroffiziers beim Stabe des Kommandierenden Admirals Frankreich in Paris (s. Organisationsskizze).

Die Versorgung der Seestreitkräfte in den deutschen Nordseehäfen erfolgte weiter unmittelbar durch das Nachschubressort der Kriegsmarinewerft Wilhelmshaven.

Die Penischen wurden — soweit sie nicht dringender schiffbaulicher oder maschineller Reparaturen oder der Bunkerreinigung bedurften — sofort nach Gent bzw. Kehl/Straßburg nach besonderem Schlüssel in Marsch gesetzt.

Während die Erfassung der Tankanlagen in Gent und Kehl/Straßburg und ihre Übernahme durch das Personal des Nachschubressorts durchgeführt wurde, erfolgten bereits die ersten Abrufe von Betriebsstoffen in Duisburg durch das Nachschubressort in Paris nach Gent bzw. Kehl/Straßburg. Als die ersten Penischen in den genannten Orten Ende Mai 1941 eintrafen, waren dort bereits mehrere tausend Tonnen Heizöl und Treiböl angelangt, so

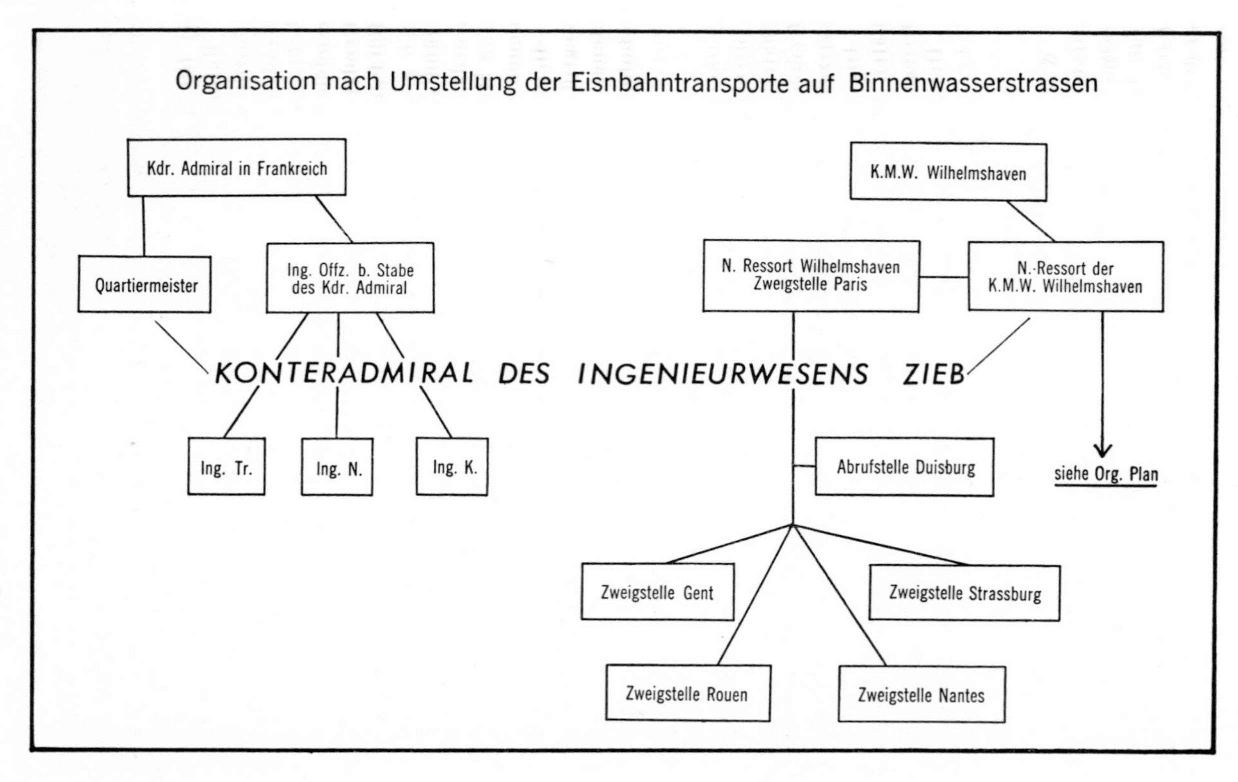
Organisation nach Umstellung der Eisnbahntransporte auf Binnenwasserstrassen
Kdr. Admiral in Frankreich
K.M.W. Wilhelmshaven
Quartiermeister
Ing. Offz. b. Stabe des Kdr. Admiral
N. Ressort Wilhelmshaven Zweigstelle Paris
N.-Ressort der K.M.W. Wilhelmshaven
KONTERADMIRAL DES INGENIEURWESENS ZIEB
Ing. Tr.
Ing. N.
Ing. K.
Abrufstelle Duisburg
siehe Org. Plan
Zweigstelle Gent
Zweigstelle Strassburg
Zweigstelle Rouen
Zweigstelle Nantes

daß die Beladung und Rücksendung der Penischen umgehend durchgeführt werden konnte.

Die einzelnen Tanks dieser Zweigstellen erhielten im Laufe der nächsten Monate durch die Organisation Todt Umwallungen zum Schutz gegen Bombensplitter und gegen die Ausbreitung von Bränden. Die Betriebsstoffvorräte wurden nach Möglichkeit auf getrennt voneinander aufgestellte Tanks verteilt.

Die zu befahrenden Binnenwasserstraßen waren dem Nachschubressort im wesentlichen durch Kanalkarten und aus Besprechungen mit französischen Stellen bekannt. Um baldmöglichst ein eigenes Bild über die Zahl und Art der Schleusen, der Wassertiefe der Kanäle und Flußläufe, der zu erzielenden Marschgeschwindigkeiten der Schiffe usw. zu gewinnen, wurden in den ersten Monaten einigen Penischen Transportbegleiter mit einigen Kenntnissen der französischen Sprache von der Transportbegleitkompanie Wilhelmshaven mitgegeben. Sie erhielten spezielle Fragebogen mit, die sie während der Fahrt laufend zu führen hatten: Daten und Uhrzeiten der Abfahrt, des Ein- und Auslaufens von Schleusen, der Brücken und Brückenhöhe, des etwaigen sonstigen Festmachens nebst Gründen und der Orte, besondere Vorkommnisse während des Marsches, Abmessungen der Schleusen, Ausweichstellen in den Kanälen, Zwischenlagerungen und Möglichkeiten des Abtransportes der Ladungen durch Eisenbahnkesselwagen bei Schleusenstörungen, Datum und Uhrzeit des Eintreffens am Bestimmungsort usw. Diese Fragebogen wurden dem Nachschubressort in Paris zur Auswertung zugestellt. Am Zielort wurden die Begleiter ausgetauscht, so daß der entsprechende Fragebogen für die Rückfahrt des gleichen Schiffes von einem anderen Mann ausgefüllt wurde. Die Sprachschwierigkeiten verursachten zunächst manche Lücke in der Beantwortung der gestellten Fragen, aber nach Ablauf von etwa 2 Monaten hatte das Ressort ein einigermaßen zutreffendes Bild von allen wesentlichen Dingen.

Die vergleichende Bearbeitung der Fragebogen ergab andererseits, daß die Transportbegleitung nur bedingten Wert hatte. Schiffsbesatzungen und Transportbegleiter benutzten auf dem Marsch wiederholt Gelegenheiten zu Einkäufen, wodurch vermeidbare Verzögerungen entstanden, durch welche die Marschgeschwindigkeit herabgesetzt wurde. Dies trat vor allem bei den zwischen

Belgien und Frankreich verkehrenden Penischen in Erscheinung. Auf dieser Strecke kamen in der ersten Zeit unvorhergesehene Schwierigkeiten durch die Ungültigkeit der französischen Lebensmittelkarten in Belgien hinzu. Durch entsprechende Bevorratung der Besatzungen konnte Abhilfe geschaffen werden. Da sich die Schiffsbesatzungen mit Ausnahme gelegentlicher Einkäufe, die infolge der Flüssigkeit der Transporte in Kauf genommen werden konnten, als zuverlässig erwiesen, wurden die Transportbegleiter wieder nach Wilhelmshaven entlassen.

Die Schiffsbesatzungen erhielten am Abgangsort Marschpapiere offen mit, ferner versiegelt Ladungspapiere über die Betriebsstoffmengen des Schiffes und eine Vollanalyse des Öls. Die versehentliche Beladung einer für Treiböl vorgesehenen Penische mit Heizöl wurde rechtzeitig am Bestimmungsort anhand der Marschpapiere erkannt und führte zu einer nicht übersehbaren Kennzeichnung der Heizöle bzw. Treiböl führenden Penischen durch beiderseitigen unterschiedlichen Anstrich der Brückenhäuser.

Auf Kanalkarten wurden beim Nachschubressort in Paris die Standorte der einzelnen Penischen mit Fähnchen gesteckt, getrennt nach Heizöl und Treiböl und getrennt nach beladenen und leeren Schiffen. Eine Kartei kontrollierte die Zahl der Fahrten und der Marschleistungen eines jeden Schiffes, eine Mengenkontrolle zeigte die jeweils in den Kanalabschnitten marschierenden Gesamtbrennstoffmengen. Diese Mengenkontrolle ermöglichte bei etwaigen Schleusenstörungen schnell zu erkennen, welche Heizöl- und Treibölmengen durch solche Störungen blockiert waren. Die Kanalkarte gab Auskunft über die Art, Zahl und Größe der Schleusen — z.B. von Paris bis Straßburg etwa 200 Schleusen! — sowie über die Möglichkeit, Ausweichkanäle zu benutzen bzw. durch Schleusenstörungen blockierte Brennstoffmengen auf dem Eisenbahnwege abzutransportieren. Hierfür stand eine beschränkte Zahl von Eisenbahnkesselwagen zur Verfügung, die meist 3—5 Tanks zu je 4—5 t enthielten. Bis Dezember 1942 entstand nur eine Schleusenstörung durch betriebliche Mängel, die nach zwei Tagen behoben war. Immerhin führte dieser Versager zur Alarmierung der gesamten Transportorganisation auf dieser Strecke und zu entsprechenden Umleitungen von Penischen durch Seitenkanäle.

Die Zuverlässigkeit der Transporte auf den Binnenwasserstraßen wurde auch von anderen Stellen der deutschen Wehrmacht erkannt und trotz ihrer relativen Langsamkeit ausgenutzt. Das Nachschubressort ließ u. a. von Mitte 1941 an die Bunkerkohle für die Seestreitkräfte in Holland und Belgien in 600—800 t Schiffen und nach Paris—Rouen in 200 t Schiffen aus dem Ruhrgebiet ohne Umschlag transportieren. Mitte 1942 äußerten sich französische Reeder dahin, daß der Verkehr auf dem St. Quentin Kanal — von Belgien zur Seine — stärker sei als in Friedenszeiten.

Erst 1944 traten Schwierigkeiten auf den genannten Binnenwasserstraßen ein. Sie führten zu der Aufstellung der „Sicherungsabteilung Seine-Schiffahrt" und der „Sicherungs-Abteilung St. Quentin-Kanal."

Anfang August 1941 fand jedes von Duisburg nach Gent bzw. Kehl/Straßburg beorderte Schiff im allgemeinen eine ausreichende Zahl leerer Penischen vor. Der Großteil der ankommenden Betriebsstoffe konnte daher meist ohne Zwischenlagerung in den ortsfesten Tanks sofort in die Penischen umgeschlagen werden, wodurch eine nachteilige Anhäufung von Betriebsstoffen in den beiden Zweigstellen meist vermieden werden konnte. Diese beiden Zweigstellen setzten, soweit keine anderen Weisungen erteilt wurden, die ankommenden Betriebsstoffe — über deren Abruf in Duisburg sie Nachricht erhielten — ohne weitere Anordnungen nach Plan mit den Penischen unter gleichzeitiger Meldung an das Nachschubressort in Paris in Marsch.

In den ersten Wochen nach dem Anlaufen dieser Transporte entstand der Verdacht, daß von den französischen Besatzungen Öl entwendet werde. Die Kontrolle ergab aber bald, daß Differenzen zwischen den übernommenen und abgegebenen Mengen nur bei den Heizöl transportierenden Penischen beobachtet wurden. Die Untersuchung der Tankräume dieser Penischen führte zu der Erkenntnis, daß diese Schiffe nur für den Transport von Domestiköl — ähnlich in der Viskosität wie Diesel — vorgesehen waren. Pumpen und Rohrleitungen der Schiffe — soweit solche vorhanden waren — eigneten sich für das sehr viel dickflüssigere Heizöl wenig, auch ließen die Durchbrechungen der Bodenstringer das Heizöl nur sehr langsam durchfließen. Durch diese technischen Mängel nahmen die Schiffe anfangs etwa 15—20 % ihrer Ladung wieder mit zurück. Diese Erfahrung legte die Befürchtung nahe, daß die Rohrleitungen und Pumpen dieser Penischen in den Wintermonaten völlig versagen könnten. Durch die Verwendung transportabler Pumpen konnten in den Sommermonaten die Restbestände in den Penischen auf 4 bis 6 % gesenkt werden. Für die Wintermonate wurden spezielle Heizkörper mit den erforderlichen Heizrohrleitungen gefertigt. Diese Maßnahmen haben sich in dem folgenden Winter als wertvoll erwiesen. In die Ladung der am Bestimmungsort eintreffenden Penischen wurden jeweils 4—8 Heizkörper eingeführt und das Heizöl so lange beheizt, bis es durch die transportablen Pumpen angesaugt werden konnte. Durch diese Notwendigkeit erhöhte sich die Liegezeit der zu entladenden Penischen in den Bestimmungshäfen wesentlich. Hierdurch kamen zunächst unerwünschte Ansammlungen von Penischen vor. Um solche Massierung von Ölschiffen zu vermeiden, wurden in Compiègne und Meaux Abrufbüros eingerichtet, bei denen sich die durchlaufenden Penischen zu melden hatten. Diese mit je 2 Mann besetzten Büros haben sich als nützlich für die Regelung des Zu- und Ablaufs der Penischen erwiesen. Sie veranlaßten die Verteilung der Schiffe auf Wartestellen nahe den Abrufstellen und regelten das Eintreffen der Penischen in Paris oder Rouen auf wenige Stunden genau.

Während die Penischen für den Weg Gent—Paris 9—12 Tage benötigten, dauerte der Marsch von Kehl/Straßburg bis Paris 14—16 Tage und bis Nantes 24—26 Tage. Trotz dieser unterschiedlichen Reisedauer und der damit verbundenen Festlegung einer nicht unmittelbar greifbaren Betriebsstoffmenge wurde der Rhein-Marne-Kanal weiter befahren, um im Falle des Ausfalls eines der beiden Wege die Versorgung der Seestreitkräfte über den anderen Weg durchführen zu können. Auch wurde die Möglichkeit des Ausfalls beider Wasserstraßen ins Auge gefaßt. Für diesen Fall konnten Betriebsstoffe von Straßburg z. B. über den Rhein-Rhône-Kanal nach dem Westen geschafft werden. Die Erkundung dieses Weges durch eine Penische mit einem Transportbegleiter erbrachte eine gründliche Kenntnis aller wichtigen Daten dieses Weges. Dies erwies sich bei einem späteren Transport, über den noch berichtet wird, als wertvoll.

Die auf dem Wege Paris—Nantes verkehrenden Penischen hielten sich gelegentlich unnötig lange und schwer kontrollierbar in

Paris auf. Deshalb wurde in Melun nahe Paris eine weitere Kontrollstation errichtet, bei der sich die von und nach Nantes passierenden Schiffe zu melden hatten. Die Reisedauer von Meaux bis Melun bzw. umgekehrt wurde dadurch klar erfaßt. Unnötige Verzögerungen in Paris konnten durch diese Kontrolle unterbunden werden.

Der gesamte Personalaufwand des Nachschubressorts Wilhelmshaven im französisch-belgischen Raum einschließlich der Zweigstellen in Gent, Kehl/Straßburg und der Abrufstelle Duisburg betrug: 4 Ingenieuroffiziere, 1 Seeoffizier, 1 höherer Beamter, 5 Beamte des gehobenen mittleren Dienstes und 57 Angestellte und Arbeiter einschließlich der Schreibkräfte. Das französische Personal der Penischen und das bei den Zweigstellen übernommene Personal der Tankanlagen ist hierbei nicht mitgerechnet. Offiziere, Beamte, Angestellte und Arbeiter des Nachschubressort Wilhelmshaven haben durch Können und Fleiß in hervorragender Weise dazu beigetragen, die gestellte schwierige Aufgabe zu meistern.

Die Transporte auf dem Rhein in Richtung Kehl/Straßburg bedurften ständiger erhöhter Aufmerksamkeit. Zwar erfolgte die Inmarschsetzung durch die Reedereien in Verbindung mit den Wasser- und Schiffahrtsämtern, jedoch mußte das Nachschubressort sich wegen der Beorderung der Penischen nach Kehl/Straßburg bzw. Gent über die Wasserstände des Rheins oberhalb Duisburg laufend unterrichten. Einige Beispiele mögen dies zeigen: Von September 1941 ab fiel der Wasserstand des Rheins erheblich und erreichte Mitte Oktober einen so niedrigen Stand, daß die üblichen Schiffe mit einer Ladung von 700—800 t bergwärts nicht mehr fahren konnten. Das war um so nachteiliger, als die Bestände an Heizöl in den französischen Häfen gering waren. Durch verstärkte Zufuhren nach Gent und entsprechende Beorderungen von Penischen nach Gent konnte ein Ausgleich rechtzeitig herbeigeführt werden. Neue Schwierigkeiten durch niedrige Wasserstände, verstärkt durch die Vereisung des Rheins, traten im Januar 1942 ein. Auch auf den französischen Binnenwasserstraßen kamen die Transporte in dieser Zeit durch Vereisung zum Erliegen. Ueber die Standorte der Penischen war in dieser Zeit nichts zu ermitteln, ein recht unerfreulicher Zustand.

Eine neue Erschwerung der Schiffahrt auf dem Rhein trat im

März 1942 durch ungewöhnliches Hochwasser ein, das jedoch nur wenige Tage anhielt.

Durch entsprechende Vorratsbildung in den Monaten Juni bis Dezember 1941 waren die französischen Häfen ausreichend mit Betriebsstoffen versorgt worden, so daß durch die Frostperiode keine nachteiligen Auswirkungen für den Einsatz der Seestreitkräfte eintraten.

Eine unerwünschte Folge der Umstellung der Öltransporte vom Schienenweg auf den Binnenwasserweg war die weitgehende Verteilung der geringen Betriebsstoffvorräte auf hundert und mehr Penischen. Zeitweise befanden sich mehr als 40 000 t auf dem Marsch durch die Binnenwasserstraßen ohne eine Möglichkeit, auf diese Vorräte vor ihrem Eintreffen am Bestimmungsort unmittelbar zurückgreifen zu können. Eine günstige Auswirkung dieser Transporte war der Umstand, daß diese Betriebsstoffmengen Fliegerangriffen praktisch entzogen waren.

Die Versorgung der Seestreitkräfte in den besetzten Westgebieten mit Hilfe der Binnenwasserstraßen hat sich bewährt und allen berechtigten Anforderungen genügt. Die Abgabe der Eisenbahnkesselwagen der Marine für den Rußlandfeldzug hat keine Nachteile für die Einsatzbereitschaft der Seestreitkräfte verursacht.

5. Heizöltransporte von Frankreich nach Italien

a) Operative Zusammenhänge für die Abgabe des Heizöls

Im Mai 1942 ordnete das Oberkommando der Kriegsmarine die sofortige Abgabe von 45 000 t Heizöl aus dem französisch-belgischen Raum an Italien an. Die Transporte sollten innerhalb von 8 Wochen abgeschlossen werden. Der Befehl stand in Verbindung mit dem Feldzug in Afrika, der den Einsatz der italienischen Seestreitkräfte zur Sicherung der Nachschubtransporte nach Afrika in erhöhtem Maße erforderlich machte, der jedoch an dem Mangel an Heizöl in Italien zu scheitern drohte. Mehrfach konnten italienische Schlachtschiffe und Kreuzer zur Sicherung von Geleitzügen bzw. zum Angriff auf englische Geleitzüge infolge Brennstoffmangels nicht auslaufen.

Die sinkenden Heizölbestände in Deutschland ließen solche Abgabe aus den Ölhöfen unzweckmäßig erscheinen. Mitbestimmend für den Abzug von Heizöl aus dem französisch-belgischen Raum war die Rückkehr der Schlachtschiffe „Scharnhorst" und „Gneisenau" sowie des Schweren Kreuzers „Prinz Eugen", die bis Februar 1942 in Brest gelegen hatten, in die Heimat. Ihre Versorgung mit Betriebsstoffen war damit entfallen, so daß die Vorräte im französisch-belgischen Raum die beabsichtigte Abgabe von Heizöl gestatteten.

Nach Prüfung der Zeitdauer solcher Transporte aus Frankreich nach La Spezia forderte das Nachschubressort vom Oberkommando der Kriegsmarine die Gestellung von 550 Eisenbahnkesselwagen. Die Laufzeit für den Hin- und Rücktransport der Eisenbahnkesselwagen wurde mit 10 Tagen veranschlagt. Falls diese Laufzeit überschritten würde, sei die Gestellung einer entsprechend höheren Zahl von Eisenbahnkesselwagen oder eine längere Lieferzeit notwendig.

b) Die Transportidee

Das Oberkommando der Kriegsmarine sah sich jedoch nicht in der Lage, die vom Nachschubressort geforderten Eisenbahnkesselwagen zu stellen, da das Oberkommando der Wehrmacht die Herausgabe der Wagen ablehnte. In Erwartung solcher Entscheidung entwickelte das Nachschubressort folgenden Plan:

Die Heizöltransporte sollten aus dem französisch-belgischen Raum auf verschiedenen Binnenwasserstraßen nach Lyon gebracht werden. Von Lyon aus sollte das Heizöl teils über den Mont Cenis mit französischen Eisenbahnkesselwagen nach Italien und teils mit Tankschiffen rhôneabwärts nach Marseille transportiert werden, von wo es mittels Küstentankern nach La Spezia in Italien gelangen konnte. Die Durchführung dieses Planes setzte die Benutzung des damals von Deutschland noch nicht besetzten Teiles von Frankreich voraus.

Die angestellten Ermittlungen ergaben folgende Möglichkeiten der verschiedenen Transportwege:

1. Von der Nachschubzweigstelle Kehl/Straßburg konnten 200 t-Penischen durch den Rhein-Rhône-Kanal über Mühlhausen-Besançon-Dôle und dann saôneabwärts über Chalons s/Saône und Mâcon nach Lyon gelangen.
2. Von der Nachschubzweigstelle Nantes konnten 100—200 t-Pe-

nischen loireaufwärts marschierend über Tours durch den Kanal du Berry über Bourges-Nevers nach Digoin gelangen und von dort weiter durch den Kanal du Centre nach Chalons s/Saône, anschließend über Mâcon nach Lyon.

3. Die Nachschubzweigstellen Gent, Rouen und Paris konnten auf den bisher befahrenen Binnenwasserstraßen mit den Penischen über Paris bis Melun fahren und von dort auf verschiedenen Binnenwasserstraßen Lyon ansteuern, und zwar:
   a) über Montargis durch den Kanal de Briare in den Kanal Latéral à la Loire über Nevers nach Digoin und weiter durch den Kanal du Centre nach Chalons-s/S, Mâcon und Lyon;
   b) über Auxerre durch den Kanal du Nivernais bis St. Léger des Lignes, dort in den Kanal Latéral à la Loire bei Digoin, weiter durch den Kanal du Centre über Chalons s/S über Mâcon nach Lyon;
   c) über St. Florentin durch den Kanal de Bourgogne über Dijon nach Chalon s/S — Mâcon — Lyon.
4. Die entbehrlichen Heizölvorräte in Brest sollten durch Küstentanker oder französische Eisenbahnkesselwagen nach Rouen oder Paris gebracht werden.
5. Die auf dem Rhein-Marne-Kanal in Richtung Paris fahrenden, mit Heizöl beladenen Penischen sollten
   a) soweit sie Dombasle noch nicht erreicht hatten, beim Passieren dieses Ortes in den Kanal de l'Est nach Süden über Epinal-Gray-Chalons-s/S, Mâcon nach Lyon dirigiert werden. Die gleichen Weisungen erhielten die Toul und Mauvages passierenden Heizölpenischen;
   b) soweit sie Vitry-le-François in Richtung Paris marschierend passierten bzw. die Orte Bar-de-Duc, Châlons s/Marne, Epernay erreichten, bei Vitry-le-François in den Kanal de la Marne à la Saône und weiter über Chaumont-Chalons s/S, Mâcon nach Lyon dirigiert werden;
   c) soweit sie auf dem Rhein-Marne-Kanal bereits westlich Epernay standen, sollte die Kontrollstelle Meaux sie über den unter 3. a) angegebenen Weg umleiten.
6. Für die auf dem jeweiligen Rückmarsch angetroffenen Penischen ohne Ladung, soweit sie für Heizöltransporte bestimmt waren, wurden entsprechende Weisungen erlassen, die zum Ziel hat-

ten, diese Penischen unverzüglich zur nächsten Nachschubzweigstelle zum Beladen und zur Weiterleitung nach Lyon zu beordern.

7. Die vorstehend genannten Orte entlang den bezeichneten Binnenwasserstraßen sollten beschleunigt mit je 2 Transportbegleitern zur Kontrolle und zum Weiterleiten der Penischen besetzt werden.
8. Auf die Entnahme von Heizöl aus den Beständen von Bordeaux mußte aus zeitlichen Gründen verzichtet werden. Die in früheren Monaten durchgeführte Erkundung des Kanal du Midi durch eine Penische mit Begleiter hatte ergeben, daß dieser Weg für den vorliegenden Fall ungeeignet war.
9. Ferner wurde festgestellt, daß in Lyon und Marseille ausreichend große Tankräume zur Verfügung standen, um nötigenfalls die gesamte an Italien abzugebende Heizölmenge in diesen Orten zwischenzulagern.
10. Der zunächst beabsichtigte ausschließliche Transport von Lyon nach La Spezia mit französischen Eisenbahnkesselwagen scheiterte.
11. So mußte ein weiterer Transportweg vorbereitet werden. Es hätte nahe gelegen, an den Weitertransport des Heizöls von Lyon nach Marseille mit den 200 t Penischen zu denken. Diese Schiffe waren jedoch auf der Rhône wegen der großen Wassergeschwindigkeit dieses Flusses nicht verwendbar. Da auf der Rhône eine genügende Anzahl von großen Tankschiffen mit einem Fassungsvermögen von etwa 800 t vorhanden war, konnten die Heizöltransporte von Lyon nach Marseille innerhalb weniger Tage bewältigt werden.

Das Warten auf den Transportbefehl des Oberkommandos der Kriegsmarine wurde für vorbereitende Maßnahmen benutzt, vor allem wurde Heizöl aus Brest und Cherbourg abgezogen und mittels französischer Eisenbahnkesselwagen nach Paris umgelagert. Die in Gent, Rouen und Paris vorhandenen Heizölpenischen wurden beladen mit Richtung auf Lyon zur Meldestelle Melun beordert. Bei Eingang des Befehles des Oberkommandos lagen hier bereits mehr als 80 Penischen in Bereitschaft. Die in Nantes beladenen Penischen wurden vorsorglich nach Bourges, die von Kehl/Straßburg nach Mühlhausen beordert.

Das Nachschubressort meldete dem Oberkommando der Kriegsmarine, daß die Durchführung der Heizöltransporte auf dem Binnenwasserweg bis Lyon und von dort zu etwa einem Drittel der geforderten Menge mit französischen Eisenbahnkesselwagen über den Mont Cenis nach La Spezia und zu etwa zwei Dritteln mit Tankschiffen bis Marseille möglich sei unter der Voraussetzung der Genehmigung, das nicht besetzte französische Gebiet benutzen zu dürfen, sowie der Weiterbeorderung des Heizöls von Marseille nach Italien durch das Oberkommando der Kriegsmarine. Als voraussichtliche Dauer der Transporte wurden 7—8 Wochen nach Eingang des Befehls zur Durchführung der Transportbewegung geschätzt.

c) Die Durchführung der Transporte

Wenige Tage später befahl das Oberkommando die Durchführung der Transporte gemäß obigem Vorschlag und gab zugleich die Genehmigung zur Benutzung der unbesetzten Zone Frankreichs.

Bei der Kalkulation der erforderlichen Zeit waren die bisher erreichten durchschnittlichen Marschleistungen der Penischen zur Grundlage gemacht worden. Ferner hatte eine früher durchgeführte Erkundung einiger neu zu befahrender Wege mit Penischen einen gewissen Anhalt über die anzusetzende Zeit gegeben. Immerhin blieben erhebliche Unsicherheitsfaktoren. Deshalb wurde der Militärbefehlshaber in Paris noch am gleichen Tage gebeten, einen Vorschlag zu genehmigen, der die Gewährung progressiv sich steigernder zugkräftiger Marschprämien zusätzlich zu den bisherigen Charterbeträgen vorsah. Unter Zugrundelegung der bisherigen Marschleistung der Penischen wurden solche Marschprämien antragsgemäß bis zur Einsparung von 6 Tagen gegenüber dem normalen Verlauf den Penischenbesatzungen zugesichert. Der Erfolg dieser Maßnahme war, daß viele Penischen 6 Tage früher Lyon erreichten, als errechnet worden war.

Um die Transporte auch auf bisher im wesentlichen nicht erprobten Strecken schnell in Gang zu bringen, waren neben der Unterrichtung der Nachschubzweigstellen zahlreiche Maßnahmen erforderlich. Durchführung und Kontrolle der beabsichtigten Transportbewegung waren in der angesetzten Zeit mit dem Personal des Nachschubressorts in Paris allein nicht möglich. In Vorbereitung der Durchführungsanordnung befahl das Nachschubressort in Paris der Transportbegleitkompanie in Wilhelmshaven die Bereitstellung von 50 besonders ausgewählten, intelligenten Transportbegleitern mit einigen französischen Sprachkenntnissen, die nach Eingang der Anordnung des Oberkommandos abberufen und per Autobus nach Paris in Marsch gesetzt wurden. Die Beorderung dieser Leute war ein Kernstück der vorgeschlagenen Transportidee. Nach eintägiger Ausbildung der Transportbegleiter in Paris für die vorgesehene Aufgabe — je 2 Mann wurden für jeden Einsatzort eingewiesen und unterrichtet — wurden sie mit Vervielfältigungen des Prämienabkommens in französischer Sprache per Kraftwagen zu ihren Einsatzorten — Meldestellen — in Marsch gesetzt.

Die Transportbegleiter erhielten u. a. folgende Weisungen:

1. Sie hatten alle passierenden Heizöl-Penischen mit dem Prämienabkommen zu versehen;
2. Auf folgenden Strecken hatten sie leer fahrende Heizöl-Penischen umzuleiten, und zwar:
   a) Rouen—Compiègne nach Rouen
   b) Paris—Châlons s/M nach Paris
   c) Nantes—Briare nach Nantes
   d) Briare—Paris nach Paris;
3. Entsprechend dem vorstehend skizzierten Transportplan hatten sie mit Heizöl beladene Penischen auf den neuen Marschweg nach Lyon umzuleiten;
4. Ferner hatten sie täglich zwischen 20 und 24 Uhr das Nachschubressort in Paris telefonisch über die angetroffenen Penischen zu unterrichten;
5. Schließlich hatten sie täglich auf vorbereiteten Formularen Meldungen gemäß vorstehender Ziffer 4. abzusenden, gegebenenfalls Fehlanzeige zu erstatten.

Die eingehenden Meldungen wurden von einer Sondergruppe des Nachschubressorts in Paris ausgewertet. Dadurch ergab sich schnell ein klares Bild über die Zahl der auf Lyon marschierenden Penischen, ihrer Marschwege sowie über die Menge des transportierten Heizöls.

11 Tage nach Eingang der Anordnung des Oberkommandos marschierten etwa 230 mit Heizöl beladene Penischen aus Gent, Rouen, Paris, Nantes und Straßburg auf den angegebenen Binnenwasser-

straßen in Richtung auf Lyon. Am 12. Tage nach Eingang des Befehls traf die erste Penische aus Kehl/Straßburg in Lyon ein und am 29. Tage war die gesamte Transportbewegung bis Lyon abgeschlossen. Mehr als 45 000 t Heizöl hatten Lyon erreicht.

Die in Lyon erforderlichen Maßnahmen für die Heizöltransporte wurden mit vorbildlicher Unterstützung durch den deutschen Platzkommandanten von 3 Angestellten des Nachschubressorts getroffen.

Als erstes liefen die Transporte über die Mont Cenis Bahn an. Diese französischen Eisenbahnkesselwagen faßten im allgemeinen nur 12—15 t gegenüber ca. 20 t der deutschen Eisenbahnkesselwagen und hatten meist 4—5 kleine Behälter. Planmäßig sollten über diese Strecke 15 000 t Heizöl verfrachtet werden, jedoch gelang es nur, täglich höchstens 25—28 Eisenbahnkesselwagen über den Mont Cenis zu bringen. Eine größere Leistungsfähigkeit dieser Strecke war nicht zu erreichen. Als die bereitgestellten, etwa 250 Eisenbahnkesselwagen nach Italien abgerollt waren und keine Rückläufe der Wagen erfolgten, kamen diese Transporte zum Erliegen.

Inzwischen war der andere Weg rhôneabwärts als der sehr viel leistungsfähigere erkannt worden.

41 Tage nach Eingang des Befehls vom Oberkommando der Kriegsmarine war die gesamte Heizölmenge in Höhe von rund 45 000 t Heizöl abgeliefert, und zwar etwa 4500 t per Eisenbahnkesselwagen, der Rest mit Rhôneschiffen in Marseille, von wo die Seekriegsleitung den Weitertransport steuerte.

Die Rückführung der eingesetzt gewesenen Penischen in die normale Transportbewegung, die nach der Entlassung der großen Kriegsschiffe aus Brest in die Heimat entsprechend geringere Ausmaße hatte, dauerte geraume Zeit.

D. *Marine-Kraftwagenabteilungen*

Eine besondere Nachschubeinrichtung der Marine, anders als bei Heer und Luftwaffe organisiert, verdient erwähnt zu werden.

Bei Kriegsausbruch bestanden Marine-Kraftwagenabteilungen in Kiel, Wilhelmshaven, Swinemünde, Cuxhaven, Pillau und Emden. Während des Krieges wurde diese Nachschuborganisation für die besetzten Gebiete aus den Notwendigkeiten der Versorgung der

See- und Landstreitkräfte der Marine wesentlich erweitert, so daß schließlich 23 Marine-Kraftwagenabteilungen, ferner 4, später 2 Kraftwagen-Ausbildungsabteilungen sowie 4 Kraftwagen-Einsatzabteilungen vorhanden waren. In einigen Gebieten wurden ferner selbständige Kraftfahrkompanien aufgestellt. Aus der 3. Kraftwagen-Einsatzabteilung ging nach dem Verlust Frankreichs das K-Regiment (mot) 1 hervor, das für die Kleinkampfverbände, insbesondere den Transport der Kleinst-U-Boote, Verwendung fand.

Die Abteilungen gliederten sich mit einigen Unterschieden in 3 Kompanien und 1 Stabs- zugleich Werkstattkompanie mit insgesamt etwa 800 Fahrzeugen. Die Einsatzabteilungen wurden erst im weiteren Verlauf des Krieges geschaffen, als das Durchbringen des Nachschubs oft kämpferischen Einsatz erforderte. Diese Abteilungen hatten 10—15 Panzerspähwagen, ihre Bewaffnung bestand aus 2-cm-Flak, in einigen Fällen auch 3,7-cm-Flak, aus MG in Doppellafetten, MPis und Karabinern; sie erzielten bei solcher Verwendung über 70 anerkannte Abschüsse von Flugzeugen. Als die Partisanentätigkeit zunahm, wurden auch andere Kraftwagenabteilungen mit 2-cm-Flak ausgerüstet.

Die Führer dieser Einheiten waren Ingenieuroffiziere der Marine. Sie brachten durch ihre truppendienstliche Verwendung im Frieden die erforderlichen Voraussetzungen mit.

Einige Abteilungen wurden in besonderen Fällen dem Heer für Nachschubzwecke zugeteilt. In mehreren Schreiben Kommandierender Generale kommt zum Ausdruck, daß diese Abteilungen in tapferem und unermüdlichem Einsatz in Tag- und Nachtmärschen unter feindlicher Fliegereinwirkung die für die Kampfführung lebensnotwendige Versorgung bis auf das Gefechtsfeld zugeführt haben. Einige Abteilungen haben wiederholt in kämpferischem Einsatz gestanden. So schlug die 2. Kompanie der 6. Marine-Kraftwagenabteilung in der Kronstädter Bucht selbständig einen Landungsversuch der Russen verlustreich für beide Seiten ab. Ständige Kämpfe mit dem Feind bzw. mit Partisanen hatten die im Kaukasus, in Albanien und Serbien, gegen Kriegsschluß in Italien und die im Invasionsraum in Frankreich verwendeten Kraftwagenabteilungen zu bestehen. Es gelang ihnen wiederholt unter schwierigsten Umständen, feindlichen Widerstand zu brechen und den geforderten Nachschub zur Front durchzubringen.

In der Zeitschrift „Wehrkunde“ wird im Juli 1955 von Kapitän zur See Banditt wie folgt berichtet: „Ein Zeichen dafür, daß die Organisation der Marine in ihrer straffen Zusammenfassung das gegebene war, um mit geringen Mitteln an Fahrzeugen und Kraftstoff viel zu leisten, war, daß sich im letzten Kriegsjahr auch das Heer entschloß, zu dieser Organisationsform überzugehen. Die Schwierigkeiten, die damals beim Übergang zu dieser Form auftraten, waren wesentlich größer als die der Marine, weil dem Heer für solche Aufgaben ein fachlich vorgebildetes Offizierkorps nicht zur Verfügung stand. Die im letzten Jahr vor Kriegsausbruch erfolgte Umbenennung der Regierungsbaubeamten des Heeres zu Offizieren (Ing) war lediglich eine Formsache geblieben; eine truppendienstliche Ausbildung und Verwendung dieser Offiziere war ebenso wenig wie eine taktische Schulung vorgesehen oder durchgeführt.“

Durch die Verwendung von Ingenieur-Offizieren der Marine als Abteilungs- und Kompanie-Chefs und durch die zu jeder Abteilung gehörigen Werkstattkompanien waren die Abteilungen reparaturmäßig weitgehend autark. Die Rücksendung reparaturbedürftiger Kraftfahrzeuge in die Heimat bildete daher eine Ausnahme. Sogar die Grundreparatur von Motoren und die Fertigung von Laufbuchsen für Motorenzylinder wurden mit Erfolg ausgeführt.

Die Marine-Kraftwagenabteilungen haben die bei ihrer Aufstellung in sie gesetzten Erwartungen anerkanntermaßen voll erfüllt. Ob die militärischen Erfordernisse einen logistischen Aufwand von etwa 30 Marine-Kraftwagenabteilungen rechtfertigen, muß infolge Fehlens von Unterlagen eine offene Frage bleiben.

E. *Die Oberwerftstäbe*

Die Kriegsmarinewerften und privaten Werften im Heimatgebiet erhielten ihre technischen Weisungen vom K-Amt des Oberkommandos der Kriegsmarine bis Ende 1943. Dann gingen die entsprechenden Befugnisse an den Hauptausschuß Schiffbau über. Bei den Privatwerften überwachten Bauaufsichten der Marine die Ausführung der Arbeiten. In den besetzten Gebieten unterstanden die Kriegsmarinewerften, die Kriegsmarine-Arsenale und z. T. auch die Marine-Ausrüstungs- und Reparaturbetriebe in technischer

Hinsicht den Oberwerftstäben, die den Stäben der Kommandierenden Admirale unterstellt oder angegliedert waren. Die Oberwerftstäbe wurden technisch vom K-Amt gesteuert, später traten meist Länderbeauftragte (LB) des Hauptausschusses Schiffbau an die Stelle der Chefs der Oberwerftstäbe. Der organisatorische und personelle Aufbau der Oberwerftstäbe war unterschiedlich nach den örtlichen Erfordernissen und den Auffassungen der Kommandierenden Admirale.

1. Der Oberwerftstab beim Admiral Schwarzes Meer

Aus räumlichen Gründen kann nur die Organisation und der Wirkungsbereich eines Oberwerftstabes skizziert werden. Es wird der Oberwerftstab des Kommandierenden Admirals Schwarzes Meer gewählt, dessen Chef der Verfasser von Mitte Februar 1943 ab war. Bei seinem Dienstantritt war bereits ein Stab gebildet worden, ohne jedoch bisher wirksam geworden zu sein. Der Oberbefehlshaber der Marinegruppe Süd, Admiral Schuster, befahl ihm daher, sämtliche Werftbetriebe am Schwarzen Meer beschleunigt zu erfassen und straff zu organisieren. Da weder bei der Gruppe noch beim Admiral Schwarzes Meer über Werftbetriebe etwas bekannt war — mit Ausnahme von Varna und Konstanta — empfahl der Oberbefehlshaber dem Verfasser, an der Küste des Schwarzen Meeres entlang zu fahren und die vorgefundenen Werften einzugliedern. Eine eigenartige Situation fast zwei Jahre nach Beginn des Krieges gegen Rußland.

Der Oberwerftstab bestand aus einem Chef des Stabes und je einem höheren Beamten für Schiffbau, Maschinenbau und Verwaltung sowie den zugehörigen Beamten des mittleren gehobenen Dienstes und Angestellten. Die durch Reisen und Herumfragen ermittelten Betriebe werden nachstehend gegliedert in marineeigene Betriebe, Bauaufsichten und sonstige Betriebe. Soweit ein Datum für die Aufstellung eines marineeigenen Betriebes nicht angegeben ist, war er Mitte Februar 1943 bereits vorhanden.

a) *Marineeigene Betriebe:*

Diese Betriebe waren der technischen Ausrüstung der Werkstätten usw. nach der Zahl ihrer Arbeiter durchweg Marine-Ausrüstungs- und Reparaturbetriebe (Maurebs), wenngleich sie z. T. andere Bezeichnungen (MASt usw.) führten. Der kleinste dieser Betriebe befand sich in Taganrog; er hatte umfangreiche schiffbauliche und maschinenbauliche Werkstätten und u. a. eine Slipanlage, die ein Aufslippen von 8 Schiffen bis zu einer Größe von 1000 t gestattete. Er beschäftigte 260 Arbeiter im März 1943. Der größte Betrieb war der Maureb Galatz mit 1870 Arbeitern; er hatte neben umfangreichen Werkstätten 1 Schwimmdock, 2 Schwimmkräne, 1 Ladestation für U-Boote usw. Die Leiter der marineeigenen Betriebe waren Ingenieur-Offiziere.

Marineeigene Betriebe am Asow-Meer:

Taganrog, Räumung 17. 6. 43

Mariupol, Räumung 10. 9. 43.

Berdjansk, — 5. 9. 1943 erging Befehl des Admiral Schwarzes Meer, dort schnellstens einen Maureb zu schaffen. Es war nichts vorhanden, was als Ausgangspunkt hätte dienen können. 14 Tage später, am 19. 9. 43, erfolgte Besetzung durch die Russen.

Genitschesk, 6. 9. 43 befahl der Admiral Schwarzes Meer, eine Marine-Ausrüstungsstelle aufzustellen zur Reparatur von etwa 30 Schiffen sowie Slipanlagen zum Aufslippen dieser Schiffe zur Überwinterung. Es waren nicht einmal Hafenanlagen vorhanden. 8 Wochen nach diesem Befehl, am 28. 10. 43, erfolgte die Räumung. Diese Befehle für Berdjansk und Genitschesk zeigten, daß beim Admiral Schwarzes Meer der Überblick über die Frontlage fehlte. Der Chef des Oberwerftstabes unterrichtete daher den Kommandierenden Admiral nach der Räumung von Mariupol und Berdjansk über seine Eindrücke an der Front.

Marineeigene Betriebe auf der Krim:

Kertsch, — Auflockerung 10. 10. 43, endgültige Räumung am 21. 12. 43.

Feodosia, — 4. 4. 44 Räumung bei der Räumung der Krim.

Sewastopol, — im Gegensatz zu allen anderen Betrieben hatten die Russen die Werkstätten, Slipanlagen, Helgen, die Wasserversorgung, die Licht- und Kraftzentrale, das Trockendock usw. vollkommen zerstört. Sie kannten die hohe Bedeutung dieses Hafens für eine auf der Krim und im Kaukasus operierende Armee. Am 13. 10. 43 beschäftigte der Betrieb 98 deutsche Werkmeister und

Arbeiter und 785 Russen. Bei der Räumung der Krim waren in Sewastopol umfangreiche Werkstätten in Betrieb, desgleichen eine Slipanlage, das Kraftwerk, das Trockendock, ein 1600 t Schwimmdock, ein 40 t Schwimmkran, mehrere Schienenkräne, das Wasserwerk usw. Kapitän zur See (Ing.) Schwarz hat an diesen Erfolgen einen besonders großen Anteil.

Generalfeldmarschall v. Kleist sagte bei der Meldung des Chefs des Oberwerftstabes, daß sich die Situation für das Heer auf der Krim und dem Gotenkopf völlig ändern würde, wenn es gelänge, Sewastopol zu einem leistungsfähigen Umschlagplatz auszubauen. Die Russen hatten die Kaianlage durch versenkte Schiffe blockiert. Der Chef des Oberwerftstabes schlug daher dem Admiral Schwarzes Meer vor, den 150 t Schwimmkran aus Nikolajew nach Sewastopol zu beordern, die Schiffe zu sprengen und die Stücke zur Verschrottung auf die Pier zu setzen. Da der Oberwerftstab im Gegensatz zu anderen Oberwerftstab-Bereichen hierfür nicht zuständig war, wurde der Vorschlag nicht weiterverfolgt. Die Kaianlagen blieben bis zur Räumung blockiert. Die Räumung erfolgte am 7. 5. 44.

Marineeigene Betriebe in der Ukraine:

Nikolajew, — 27. 10. 43 Auflockerung und Abtransport von Werkzeugmaschinen, 11. 3. 44 Räumung.

Odessa, — Aufbau 16. 10. 43 begonnen, Räumung 8. 4. 44.

Marineeigene Betriebe in Rumänien:

Galatz, — Aufbau am 28. 2. 43 begonnen, Räumung 23. 8. 44.

Braila, — Aufbau am 10. 4. 44 begonnen u. a. Herrichtung von 4 Donauschiffen als Werkstattschiffe zum Ersatz für verloren gegangene Werftkapazität, davon 1 Schiff mit Sauerstofferzeugungsanlage aus Odessa. Räumung 24. 8. 44.

Konstanta, — Räumung 26. 8. 44.

Marineeigene Betriebe in Bulgarien:

Varna, — Räumung 29. 8. 44.

Rustschuk, — Räumung 28. 8. 44.

b) *Marine-Bauaufsichten* waren in Cherson, Nikolajew, Galatz, Braila, Varna und Turnu Severin vorhanden. Die Bauaufsichten unterstanden dem Oberwerftstab technisch und überwachten in Cherson die Erstellung von Kriegsfischkuttern, in Nikolajew von Küstentransport-Schiffen, in Galatz und Braila von Reparaturen, in Varna die Erstellung von Marine-Fährprähmen und Kriegsfischkuttern, und in Turnu Severin den Umbau von Schiffen zu Sperrbrechern. Die Räumung erfolgte gemeinsam mit den Dienststellen des Oberwerftstabes.

b) *Sonstige Werften und Betriebe,* die z. T. für die Seestreitkräfte am Schwarzen Meer tätig waren, aber nicht dem Oberwerftstab unterstanden:

2 Werften für Holzschiffbau in Cherson. — Auftrag des K-Amtes zur Erstellung von 6 Kriegsfischkuttern erging Ende Juli 1942. Fertigstellung der ersten beiden am 20. bzw. 29. 10. 43, Überführung der restlichen 4 Kriegsfischkutter bei der Räumung nach Varna zur Fertigstellung.

Betonschiffswerft der SS in Cherson zur Erstellung von Schiffen für den Öltransport vom Kaukasus zur Donaumündung. Bei der Räumung von Cherson näherte sich das erste Schiff der Fertigstellung.

2 Werften in Nikolajew mit einer Belegschaft von annähernd 10 000 Arbeitern unter der Treuhänderschaft der „Hermann-Göring-Werke" mit den großzügigen Werkstätten einer Großwerft. Über die Kapazität dieser leistungsfähigen Werften verfügten nebeneinander

1) die Donau-Dampfschiffahrts-Gesellschaft (DDSG), 2) das Wehrwirtschaftskommando, 3) der Oberwerftstab beim Admiral Schwarzes Meer, 4) der Länderbeauftragte des Hauptausschusses Schiffbau und 5) die Eisenbahnverwaltung. Die verfehlte Organisation wirkte sich zum Schaden der Seekriegführung im Schwarzen Meer aus.

Zwei russische Werften in Odessa unter rumänischer Leitung wiesen durch Korruption geringe Leistungsfähigkeit auf. Im Oktober 1943 begann Rumänien bereits mit dem Abtransport von Werkzeugmaschinen und des gesamten schiffbaulichen Materials. Durch die Verhältnisse bedingt, übte der Leiter der Bauaufsicht, Marinebaurat Sagner, seit Dezember 1943 praktisch die technische Leitung der Werften aus, am 13. 3. 44 übernahm er diese Aufgaben offiziell. Am 8. 4. 44 wurde Odessa geräumt.

Galatz, „Santiere Navale Galati", eine gut eingerichtete Werft mit 1 500 Arbeitern stellte einen Teil ihrer Kapazität für die Reparatur deutscher Seestreitkräfte zur Verfügung. Anfang März 1944 begann die Demontage der Werft und ihre Verlegung donauaufwärts nach Corabia.

Braila. 6 kleine Werften bzw. Maschinenwerkstätten, die im Rahmen ihrer Leistungsfähigkeit (40—180 Arbeiter) gut und schnell arbeiteten.

Turnu-Severin, rumänische Staatswerft mit 700 Arbeitern. Sie hat 2 Sperrbrecher für den Admiral Schwarzes Meer fertiggestellt, 1 Sperrbrecher wurde nach Zerbombung der Werft zur Fertigstellung nach Galatz gebracht.

Konstanta, 2 größere rumänische Werften: „Santiere Navale Konstanta" und „Santiere Navale Maritime". Sie arbeiteten im wesentlichen für rumänische Belange, nahmen aber im Rahmen ihrer Kapazität willig Aufträge des Oberwerftstabes an.

Rustschuk, kleine bulgarische Staatswerft, reparierte deutsche Hafenschutzboote und 5 ehemals holländische Muschelfischkutter.

Varna, 1) bulgarische Privatwerft „Koralowag", Besitzerin Wiking Schiffbau GmbH in Berlin-Wilmersdorf, baute bis zur Räumung aus angearbeiteten, von deutschen Firmen gelieferten Teilen, 17 Marine-Fährprähme und 19 Kriegsfischkutter.

2) Bulgarische Staatswerft fertigte in gleicher Weise bis zur Räumung 14 Marine-Fährprähme.

3) Neptun-Genossenschaft, kleine Privatwerft, reparierte nach Zuführung von Werkzeugmaschinen aus Odessa Marine-Fährprähme, Kriegsfischkutter und Hafenschutzboote.

4) Neptun-Betonwerft erbaute lediglich Betonschiffe für Öltransporte aus dem Kaukasus.

2. Zusammenfassung der Erfahrungen aus dem Bereich des Oberwerftstabes beim Admiral Schwarzes Meer

Die im März 1943 vorhanden gewesenen marineeigenen Werftbetriebe wurden durch die Seekommandanten bzw. Hafenkommandanten aus den örtlichen Notwendigkeiten und Gegebenheiten geschaffen. Sie blieben bis zu diesem Zeitpunkt ohne zentrale Leitung. Infolgedessen wurden z. B. ihre Materialforderungen für die Reparatur von Seestreitkräften entweder überhaupt nicht oder mit monatelangen Verzögerungen erfüllt. Da sich für diese Betriebe in der Heimat niemand zuständig fühlte, erhielten sie nur selten und zu spät Ersatzteile für reparaturbedürftige Maschinen. Andererseits wurden von dem Zentralbeschaffungsamt Hildesheim Forderungen an Geräten und Verbrauchsstoffen in jeder Höhe erfüllt, so daß bei einigen dieser Stellen riesige Vorräte lagerten, die ordnungsmäßig mit dem vorhandenen Personal nicht zu bewirtschaften waren. Es ist auch für die Sauberkeit einer Dienststelle schädlich, wenn etwa 200 Radiogeräte bereitstehen, die nicht abgegeben werden können, weil kein Bedarf mehr vorliegt.

Die Werften für den Bau von Betonschiffen zum Transport von Öl aus dem Kaukasus hätten nach dem Fall von Stalingrad für Aufgaben der Seekriegführung verwendet werden müssen. Eine Einflußnahme des Oberwerftstabes auf diese Werften wurde von den vorgesetzten Stellen abgelehnt. Diese Werften bezogen alles Material (Zement, Moniereisen und Holz) aus dem Reich; Cherson erhielt bis März 1943 aus Böhmen 3 800 Festmeter Holz, während es gleichzeitig in Cherson für den Bau von Kriegsfischkuttern an Holz fehlte. Durch ein Holzkommando des Oberwerftstabes — Maschinenmaat Gloger und 2 Mann — wurde mit Genehmigung des Generalleutnants v. Majewski aus dem Raum um Kiew Holz für 24 Kriegsfischkutter beschafft.

Während es in Kertsch, Sewastopol und Varna an Werkzeugmaschinen in entscheidender Weise fehlte, waren in Taganrog und Mariupol zu viel Maschinen vorhanden und konnten nicht ausgenutzt werden. Der Abtransport der erkennbar überflüssigen Werkzeugmaschinen, Kräne usw. nach den genannten Häfen hätte ein Jahr früher erfolgen müssen.

Die Großwerften in Nikolajew waren nach der Besetzung zunächst für den Bau von Kriegschiffen der H-Klasse — Verdrängung etwa 100 000 t, Bauzeit 6 Jahre — vorgesehen. Als dieses Projekt nach Stalingrad entfiel, hätten die Werften für den Serienbau von Küstentransport-Schiffen, Marine-Fährprähmen und Kriegsfischkuttern verwendet werden müssen. Durch die falsche Organisation war die Werftleitung in der Lage und verständlicherweise bemüht, in erster Linie die Belange der DDSG zu fördern. Infolgedessen betrug der gesamte Ausstoß der beiden Werften für die Seekriegführung — neben einigen Reparaturen — 3 Küstentransportschiffe — KT 39, 40 und 37 —. Drei weitere wurden zur Fertigstellung vor der Räumung von Nikolajew nach Galatz geschleppt.

Die Leistung der beiden Werften war durch Strom- und Kohlenmangel beschränkt; z. B. konnte aus diesem Grunde die große Kompressoranlage für die Erzeugung von Preßluft für entsprechende Werkzeuge nicht in Betrieb genommen werden. Auf Drängen und mit Unterstützung des Oberwerftstabes wurde im April 1943 der Bau der seit einem Jahr geplanten Hochspannungsleitung von Nikolajew zum Dnjeprstroiwerk — etwa 260 km — in Angriff genommen. Am 27. 9. 43 lieferte diese Leitung zum ersten Male Strom nach Nikolajew, aber bereits 6 Tage später mußte der Brückenkopf am Dnjeprstroiwerk zurückgenommen werden; das Kraftwerk wurde gesprengt, und Nikolajew erhielt keinen Strom mehr.

Ein Beispiel für die Vergeudung logistischer Kapazität ist der mehr als zweijährige Versuch, ein von den Russen oberhalb von Nikolajew versenktes 30 000 t Schwimmdock zu heben. Ein holländisches Bergungsunternehmen und die Flenderwerke-Lübeck waren damit beauftragt. Das Dock war wegen seiner Größe für die Belange der deutschen Seestreitkräfte am Schwarzen Meer wie für die dortigen Handelsschiffe ungeeignet. Mehrfache Anträge des Oberwerftstabes, die Bergung einzustellen, wurden wegen Nichtzuständigkeit abgelehnt. Erst als die Räumung von Cherson befohlen wurde, wurden die Bergungsarbeiten eingestellt.

Über den Dnjepr wurde oberhalb von Cherson in zweijähriger Arbeit unter Inanspruchnahme eines wesentlichen Teils der Kapazität großer deutscher Firmen eine riesige Eisenbahnbrücke gebaut. Nach einer Äußerung des Generalfeldmarschalls v. Kleist erfolgte der Bau ohne Zutun der Heeresgruppe. Als die Brücke annähernd fertiggestellt war, wurde sie bei der Zurücknahme des Brückenkopfes — Anfang Dezember 1943 — gesprengt. Die Überflüssigkeit dieser Brücke war spätestens nach dem Fall von Stalingrad zu erkennen.

Die ungenügende Zusammenarbeit zwischen dem verbündeten

Rumänien und Deutschland zum Nachteil der logistischen Werftkapazität erhellt in besonderem Maße aus der Gleichzeitigkeit

a) des Abbaues der rumänischen Werften in Odessa und des Aufbaues des Maureb ebendort,
b) des Abbaues der „Santiere Navale Galati“ und des Aufbaues der Maurebs in Galatz und Braila.

Besonders nachteilig für die Nutzung der logistischen Kapazität war die fehlerhafte Organisation — wenn man überhaupt von einer solchen sprechen kann — zwischen Wehrmacht und den Parteidienststellen, die oft durch die Schuld von Parteidienststellen und die Unzulänglichkeit vieler ihrer Organe zu dauernden Reibungen führte.

F. *Logistische Probleme des Flottenbaues nach 1933*

Fünf Monate vor der sogenannten Machtergreifung besichtigte Hitler in Wilhelmshaven den Kreuzer „Köln“. Ihm wurden dabei die einem Staatsoberhaupt zustehenden Ehrungen mit Ausnahme des Saluts erwiesen. Auf die Frage des Kommandanten nach den Absichten Hitlers hinsichtlich der Marine nach der Machtübernahme antwortete Hitler:

1) Ich werde jeden Landesverrat ausrotten.
2) Ich werde die Flotte im Rahmen des Versailler Vertrages ausbauen.
3) Wenn ich sage, ein Schiff hat 10 000 t, so hat es 10 000 t, gleichgültig, wie groß es tatsächlich ist.

Der dritte Punkt zeigte die diktatorische Veranlagung Hitlers und seine technische Unkenntnis, die für das deutsche Volk gefährlich werden konnte. Diese Auffassung hat der Verfasser damals in einem angeforderten persönlichen Bericht an die Marineleitung ausführlich begründet.

Länge, Breite und Tiefgang eines Kriegsschiffes lassen sich mit einiger Beharrlichkeit stets ermitteln. Sie ergeben in Verbindung mit dem aus jedem technischen Nachschlagewerk zu entnehmenden Völligkeitsgrad die Größe des Schiffes, seine Wasserverdrängung. Nun war zwar durch den Vertrag von Washington 1922 bewußt eine gewisse Lässigkeit in die Angaben über die Wasserverdrängung gebracht worden, jedoch hielten die beteiligten Mächte bei ihren Schiffsbauten Abweichungen in verständigen Grenzen. Die Marineleitung folgte jedoch bei den Neubauten der von Hitler vertretenen diktatorischen Auffassung und baute die Schiffe sehr bald wesentlich größer als angegeben wurde. Technisch war das offizielle Deplacement von 35 000 t für „Tirpitz“ und „Bismarck“ statt 52 000 t sehr leicht als unzutreffend zu ermitteln, in politischer Hinsicht war eine solche erkennbar falsche Angabe gefährlich für den Frieden. Das Ziel dieser unzutreffenden Angaben war doch, Schlachtschiffe von einer Größe zu bauen, die die entsprechenden Schiffe des möglichen Gegners wertlos werden ließen. Die Neubauten „Bismarck“ und „Tirpitz“, die gleichzeitig mit dem Flottenvertrag vom 18. Juni 1935 entworfen wurden, widersprachen dem Ziel dieses Abkommens mit England, eine nochmalige Gegnerschaft der beiden Länder zu vermeiden.

Militärische Maßnahmen können nicht immer mit dem Maßstab bürgerlicher Rechtschaffenheit gemessen werden; jedoch ließ der Bau von Schlachtschiffen, die als gleich groß mit den gleichaltrigen englischen Schiffen angegeben wurden, tatsächlich aber wesentlich größer waren, das baldige Wiederaufleben der Flottenrivalität mit all ihren Gefahren befürchten.

Bald nach der Kiellegung der genannten Schiffe — spätestens 1937 — kannte die englische Admiralität das ungefähre Deplacement. Wir haben schon darauf hingewiesen, daß allein auf der Kriegsmarinewerft Wilhelmshaven vier Engländer während der ganzen Dauer des Krieges gearbeitet haben.

England erhielt jedoch bald eine weitere, noch ernstere Warnung. Für den Bau der Überschlachtschiffe der Klasse H mit etwa 100 000 t gab es in Deutschland keine Helgen; alle vorhandenen Helgen waren zu kurz für diese langen Schiffe und ihre Fundamente waren zu schwach, um das Gewicht solcher Schiffe zu tragen. Das K-Amt ließ daher entsprechende Helgen erstellen. Jeder Sachkundige mußte schon sehr bald durch die Art der Pfahlgründung das Ungewöhnliche dieser Helgen erkennen und konnte auf das ungefähre Stappellaufgewicht des Schiffes schließen. Es war unmöglich, mit so gigantischen Bauvorhaben Versteck spielen zu wollen.

Großadmiral Raeder schreibt hierzu: „Wenn der Bau der neuen Schiffe aus dem Z-Plan politisch zur Wirkung kommen und nicht nur ein allgemeines Wettrüsten herbeiführen sollte, mußten die Schiffe schlagartig gebaut und die Besonderheit ihres Typs so lange wie möglich geheim gehalten werden, um einen zeitlichen Vorsprung zu gewinnen." Wie konnte Großadmiral Raeder glauben, daß er auch nur ein einziges dieser Schiffe bei einer Bauzeit von 6—8 Jahren (!) „schlagartig" bauen könnte? Spätestens nach 1—2 Jahren mußte England den gleichzeitigen Bau dieser 6 Riesenschiffe erkennen, die seine Flotte wertlos machen sollten und seine Lebensinteressen bedrohen würden. Dann kam naturnotwendig der Krieg, und es gab für Deutschland keine Möglichkeit, die Schiffe zu vollenden. Die Planung der Schlachtschiffe entsprang dem Wunschdenken, sie war weder logisch noch logistisch, weder politisch noch militärisch zu Ende durchdacht worden.

Eine weitere Bestätigung der Absichten der deutschen Marine erhielt England durch den Bau der IV. Einfahrt in Wilhelmshaven. 1935 begann die Planung dieser Schleusen und die Vermessung des Geländes. Anfang 1936 wurde der Bau dieser Schleusen begonnen, deren Abmessungen bei einer Breite von 60 m, einer Länge von 360 m, einen Tiefgang der Schiffe von mehr als 16 m zuließen. Das Ungewöhnliche dieses gewaltigsten Bauwerks, das Deutschland je erstellt hat, trat für jeden Wilhelmshavener Bürger bald nach Baubeginn in Erscheinung. Durch die Absenkung des Grundwassers um mehr als 23 m bekamen die Häuser der Stadt breite Risse oder wurden vom Einsturz bedroht, die katholische Kirche, etwa 1500 m von der Einfahrt entfernt, mußte aus diesem Grunde für den Gottesdienst gesperrt und nach dem Kriege abgebrochen werden. Es bedurfte keiner Spionage, um das Außergewöhnliche der IV. Einfahrt zu erkennen.

Der Bau der IV. Einfahrt dauerte 6½ Jahre, sie wurde am 7. 11. 1942 eingeweiht. Das größte Schiff, das diese Schleuse jemals benutzt hat, war der Kleine Kreuzer „Nürnberg". Das Schlachtschiff „Tirpitz" verließ den Hafen durch die III. Einfahrt, die für diese Schiffe in leerem Zustande mit etwa 44 000 t Deplacement genügte.

Der Bau der Docks VII und VIII mit den gleichen ungeheuren Abmessungen, wie sie die IV. Einfahrt hatte, war vielleicht noch eine größere Warnung für England. Diese Docks deuteten auf den Bau von Schlachtschiffen hin, die den Abmessungen dieser Docks entsprachen. Alle Zweifel über den Sinn dieser Docks wurden durch den gleichzeitigen Bau einer neuen großen Werft, der Nordwerft, beseitigt.

Spätestens 1938 mußten der englischen Admiralität die Abmessungen dieser Bauten bekannt sein, und damit stellte sich die Frage, ob jemand ein Hochhaus baut, ohne es benutzen zu wollen. So war England durch die unzutreffenden Größenangaben der Schiffe „Scharnhorst", „Gneisenau", „Bismarck" und Tirpitz", ferner durch den Bau der Helgen für die Überschlachtschiffe und durch den Bau der IV. Einfahrt nebst Docks VII und VIII sowie der Nordwerft gewarnt.

Es war grotesk zu hoffen, daß

a) England die Ausführung dieser Pläne bis zur Gefahrengrenze dulden würde, oder

b) daß man den Z-Plan während eines Krieges durchführen könnte.

Wurde aber Beides als falsch erkannt, so mußte Großadmiral Raeder andere Wege suchen.

Wir sind dieser Zeit noch zu nahe, und die bisherigen Veröffentlichungen lassen die letzten Gründe für die Erteilung der Blankovollmacht an Polen durch England und Frankreich nicht erkennen. Wie wenig die ideologische Verbrämung dieser Garantieerklärung an Polen mit der rauhen Wirklichkeit zu tun hatte, ergibt sich aus dem Verhalten Englands gegen Polen nach Kriegsausbruch und nach dem Zusammenbruch Deutschlands. England hatte vor dem 1. Weltkriege durch Verhandlungen einen Ausgleich im Flottenbau gesucht; gegenüber dem Diktator Hitler und solchen Bauvorhaben der Kriegsmarine wurden Verhandlungsversuche wohl als nutzlos angesehen.

Seit 1937 vertrat der spätere Großadmiral Dönitz sehr bestimmt die Auffassung, daß es bald zum Kriege mit England kommen werde, und forderte den großzügigen Bau von U-Booten. 1938 erkannte auch Großadmiral Raeder diese Wahrscheinlichkeit an. Trotz dieser Erkenntnis wurde in den Jahren bis 1938 der Z-Plan entwickelt, der den Bau von fast 800 Kriegsschiffen, darunter etwa 250 U-Booten, bis 1948 vorsah. Die Aufzählung der beabsichtigten Bauten ist in diesem Zusammenhang ohne besonderes Interesse. Bei der Genehmigung des Z-Plans am 29. 1. 39 forderte Hitler die Durchführung innerhalb von 6 Jahren.

Großadmiral Raeder schreibt zum Z-Plan in „Mein Leben“: Die Entscheidung für einen langfristigen Bauplan bedeutete ... die Bindung der gesamten Werftkapazität und eines großen Teils der Rüstungsindustrie auf lange Zeit.“ Und Admiral Ruge schreibt in „Der Seekrieg 1939—45“ hinsichtlich des Z-Plans: „Da dieser Plan theoretisch das Höchste war, was die Werft- und Waffenindustrie leisten konnte, und einige Zweifel daran bestanden, ob er sich praktisch in der vorgesehenen Zeit überhaupt durchführen ließ, bildete das Oberkommando der Kriegsmarine Schwerpunkte.“ Zu dieser Schwerpunktbildung schreibt Raeder: „Um sicherzustellen, daß nicht gleichzeitig überall angefangen, sondern eine sinnvolle Reihenfolge eingehalten wurde, ordnete ich an, daß der Bau der Schlachtschiffe und der U-Boote den Vorrang haben sollte; erstere als der nur in langer Bauzeit fertigzustellende Kern der gesamten Flotte, letztere als das einzige wirksame operative Seekriegsmittel in der Zeit unserer maritimen Schwäche.“ Obwohl alle Anzeichen auf einen nahen Krieg hindeuteten, wurde an der Gleichzeitigkeit des Baues der sechs Schlachtschiffe, die frühestens in 6 — wahrscheinlich 7 oder 8 — Jahren fertiggestellt werden konnten und der U-Boote festgehalten. Am 15. 7. 39 wurde das erste Schlachtschiff auf Stapel gelegt, am 15. 8. das zweite und im September sollte das dritte folgen, da brach der Krieg aus. Die beiden Schlachtschiffe wurden zunächst stillgelegt und später wurde das Material für andere Bauten verwendet. Logistisch war die Stillegung dieser Bauten eine durchaus richtige Maßnahme, die sofort tausende von Arbeitskräften in der einschlägigen Industrie für andere Aufgaben freimachte, jedoch führte man den Bau der IV. Einfahrt, der Docks VII und VIII, der Nordwerft in Wilhelmshaven und der Ölhöfe — wie bereits gezeigt wurde — z. T. weiter durch; an der IV. Einfahrt wurde bis 1943 gearbeitet, nachdem sie im November 1942 eingeweiht worden war. „Tirpitz“ und „Bismarck“ sowie andere Schiffe wurden weitergebaut und beanspruchten bis zu ihrer Fertigstellung Material und Arbeitskräfte, die für die Erstellung von U-Booten entfielen. Der Weiterbau dieser großen Schiffe und der zu den Schlachtschiffen gehörigen Schleusen basierte auf Wunschgedanken; man hätte wissen müssen, daß „Tirpitz“ und „Bismarck“ auch gemeinsam mit den übrigen geeigneten Schiffen bei einer Entsendung in den Atlantik fast mit Sicherheit der Vernichtung entgegengingen. Was wollte ein solches Schiff auf dem Ozean tun, wenn es einen schweren Gefechtstreffer erhielt, dessen Reparatur nur eine Werft durchführen konnte? Da Raeder das U-Boot selbst als „das einzige wirksame operative Seekriegsmittel in der Zeit unserer maritimen Schwäche“ erkannt hatte, mußte eine eindeutige logistische Schwerpunktbildung für das U-Boot zu dem Zeitpunkt einsetzen, als der Flottenvertrag von Hitler gekündigt wurde, also am 28. 4. 39, spätestens aber bei Kriegsbeginn. Was in dieser Hinsicht geleistet werden konnte, ergibt sich aus den Maßnahmen, die in Erwartung des Flottenabkommens vom 18. 6. 35 mit Erfolg vorbereitet worden waren. Raeder schreibt hierzu: „Es lagen die Bauunterlagen für 3 Typen von 250, 500 und 750 Tonnen vor. Für den kleinsten Typ waren auch weitgehend materielle Vorbereitungen getroffen worden. Die Einzelteile waren so bereitgestellt und vorbereitet, daß das erste 250-Tonnen-Boot in kürzester Frist zusammengebaut, zu Wasser gebracht und in Dienst gestellt werden konnte. Am 27. September 1935 wurde die erste U-Bootsflottille aus sechs kleinen U-Booten gebildet, während weitere 6 Boote ähnlichen Typs zur Unterseebootsschule traten.“ In einem Zeitraum von kaum mehr als 3 Monaten war es möglich gewesen, 12 U-Boote vom 250-t-Typ aus bereitliegenden Teilen zu bauen und in Dienst zu stellen, obwohl keine Werft auf den U-Bootsbau eingestellt war. An diese Tatsache dachten die U-Bootsoffiziere, wenn während des Krieges und danach Kritik an den Maßnahmen der Seekriegsleitung geübt wurde. Hierzu schreibt Ruge: „Die Kritik an der geringen Zahl der U-Boote ist gelegentlich auf die einfache Formel gebracht worden: 1000 U-Boote bei Beginn des Krieges, und England war erledigt. Das klingt überzeugend und war in der Theorie sicher richtig, aber nüchterne Überlegung ergibt, daß so, wie die Dinge nun einmal lagen, eine solche Zahl von U-Booten bei Kriegsbeginn auch nicht im entferntesten fertig sein konnte. Die Gründe waren sowohl technischer wie politischer Art. Von 1935 bis 1939 stellten die deutschen Werften rund 300 000 t an Kriegsschiffen her. 1000 U-Boote wären etwa 800 000 t gewesen.“ So einfach liegen die Dinge nicht. In diesem Zeitraum wurden mehr als 400 000 t von „Tirpitz“ bis zum S-Boot in Bau gegeben. Aus politischen Gründen konnte Deutschland 1000 U-Boote nicht in Dienst stellen; wäre eine solche Entwicklung von England erkannt worden, so wäre der Krieg wahrscheinlich bereits bei der Fertigstellung des 100. oder 200. U-Bootes ausgelöst worden. Der rasante Bau von U-Booten hätte erkennen lassen, daß Deutschland nicht gewillt war, die übernommenen internationalen Abmachungen über die Kriegführung mit U-Booten einzuhalten. Wenn Raeder das Risiko eines Krieges — er spricht von Wettrüsten — glaubte eingehen zu müssen, so hätte er statt der großen Schiffe z. B. 300 U-Boote des 750 t Typs in Teilen bereit legen können. Ein Ausgleich war bei der gelenkten Wirtschaft der damaligen Zeit z. B. über den Handelsschiffbau möglich. 1938 liefen mehr als 480 000 BRT Handelsschiffe vom Stapel.

Die Weiterführung von Bauten großer Kriegsschiffe und der damit zusammenhängenden Bauten nach der Kündigung des Flottenabkommens am 27. April 1939, ja sogar nach Kriegsbeginn, hat sich ebenso zum Nachteil der Seekriegführung ausgewirkt wie die nur zögernde Umschaltung der einschlägigen Industrie auf den U-Bootsbau. Am 1. 9. 39 waren nur 57 U-Boote fertig, 13 in Bau und 62 in Auftrag gegeben. Von den fertigen U-Booten kamen nach der Auffassung von Dönitz nur 26 für eine operative Verwendung im Atlantik in Frage, so daß jeweils nicht mehr als 8—9 U-Boote am Feind sein konnten. Dönitz hatte richtig erkannt, daß es auf Grund der von ihm entwickelten Taktik in erster Linie auf die Zahl der am Feind befindlichen U-Boote ankam und forderte Voranstellung des U-Bootsbaues vor allen übrigen Bauvorhaben. Die nachstehende, von Ruge übernommene Tabelle über die erfolgten Ablieferungen von U-Booten zeigt deutlich das „Zu spät“:

1935	14	1939	18	1943	283
1936	21	1940	50	1944	234
1937	1	1941	198	1945	87
1938	9	1942	238		

Der Bau großer Kriegsschiffe hat wie im 1. Weltkrieg den rechtzeitigen und ausreichenden Bau von U-Booten verhindert.

Schlußbetrachtung

Nach Clausewitz muß der Krieg als ein organisches Ganzes betrachtet werden. Ein Teil dieses „Ganzen“ war auch damals bereits die Logistik, Verwaltung genannt: um Krieg führen zu können, mußten die Magazine mit Waffen, Munition, Lebensmitteln, Uniformen usw. und auch die Kassen des Staates gefüllt sein. Diese einfachen logistischen Verhältnisse wurden komplizierter und unübersichtlicher mit der zunehmenden Industrialisierung und der Vergrößerung der Heere. Ungenügendes industrielles Potential führte bereits vor Entstehung der Massenheere wiederholt zum Verlust von Kriegen.

Vor dem 1. Weltkriege war obige Erkenntnis und Forderung von Clausewitz selbst im deutschen militärischen Bereich verloren gegangen: es gab kein oberstes Führungsorgan der Kaiserlichen Marine, und ebensowenig gab es ein solches für Heer und Marine gemeinsam. Die Wirtschaft im weitesten Sinne war als Teil des „Ganzen“ nicht erkannt worden. Sie war vor dem Kriege für den Krieg nicht organisiert, eine Mobilmachung der Wirtschaft nicht vorbereitet worden. Nur ein Teil dieser Aufgaben fiel in die Zuständigkeit des Kriegsministers. Im 2. Weltkriege waren logistische Ansätze (Wehrwirtschaftsinspektionen usw.) vorhanden, sie wurden durch Mängel der Gesamtorganisation nicht genügend genutzt.

Die Massenheere, die technische Entwicklung der Waffen bis zum Panzer, Kriegsschiff, Flugzeug, zur automatischen Waffe, der Kraftfahrzeugtransport, der Bedarf an Munition, Lebensmitteln, Uniformen, Betriebsstoffen, Sanitätsmaterial, die Instandhaltung und Reparatur der Waffen bis zum Kriegsschiff usf. haben dem Begriff „Logistik“ die heutige Komplexität gegeben. Es ist eine Erfahrung des 1. Weltkrieges, daß die industrielle und wirtschaftliche Mobilmachung des ganzen Volkes durch eine hohe logistische Behörde im Frieden vorbereitet werden muß. Im Kriege hat diese Organisation für die Befriedigung der Forderungen der Wehrmacht und der Lebensnotwendigkeiten der Bevölkerung zu sorgen. Das gilt für alle Belange von der Lebensmittelerzeugung und -verteilung bis zur Erstellung von Flugzeugen. Sie hat für das Gleichgewicht zwischen Erzeugung und Bedarf, zwischen den Forderungen der Wehrmacht und den zur Verfügung stehenden zivilen Arbeitskräften und Materialien zu sorgen, sie hat die Wissenschaftler zur Lösung neuer, insbesondere technischer Aufgaben zu erfassen und einzusetzen, und sie hat schließlich die gesamte Kriegswirtschaft zu lenken. Damit kommt auch die Sorge für die Zivilbevölkerung und selbst der Staatshaushalt in den Bereich der Logistik. Die Logistik hat das Gesamtpotential einer Nation für die Streitkräfte bereitzustellen. Die hohe logistische Behörde muß im Frieden die Aufhebung der freien Marktwirtschaft für die Mobilmachung vorbereiten.

Logistische Fehlentscheidungen haben in beiden Weltkriegen dazu geführt, daß ein wesentlicher Teil der industriellen Kapazität Deutschlands für nicht kriegswichtige Aufgaben verwendet wurde. Durch die Zusammenfassung aller Verteidigungsmaßnahmen als ein Ganzes ist zu hoffen, daß dies beim Aufbau der Bundeswehr vermieden wird.

In beiden Kriegen war Deutschland fast vollkommen vom Weltmarkt abgeschnitten. Es ist das Verdienst der Bundesregierung, daß solche Befürchtungen für die Zukunft entfallen; aber die Abhängigkeit Deutschlands und Europas von Zufuhren aus Übersee ist inzwischen — materiell und ernährungsmäßig — erheblich größer geworden. Es wird Aufgabe einer hohen logistischen Behörde sein, für einen konventionellen Krieg ausreichend Vorsorge zu treffen.

Quellennachweis

Amtliches Admiralstabswerk: Der Krieg zur See 1914—1918.
Admiralstab: Die Kaiserliche Marine während der Wirren in China.
Admiralstab: Das Marine Expeditionskorps in Südwestafrika während des Herero-Aufstandes.
Assmann, Kurt: Deutsche Seestrategie in zwei Weltkriegen
Bauer: Führer der U-Boote im Weltkriege.
v. Bülow: Deutsche Politik.
Churchill: Der zweite Weltkrieg.
Corbet: Die Seekriegführung Großbritanniens.
Denkschrift zur 50-Jahrfeier des Ingenieuroffizierskorps der Marine.
Dönitz: 10 Jahre und 20 Tage.
Dräger, Heye, Sackmann: Probleme der Verteidigung der Bundesrepublik.
Erfurth: Die Geschichte des deutschen Generalstabes von 1918—1945.
Fuller: Der zweite Weltkrieg.
Gareis: Kampf und Ende der Fränkisch-Sudetendeutschen 98. Inf.Division.
Geffcken: Zur Geschichte des orientalischen Krieges 1853—56.
Görlitz: Der zweite Weltkrieg.
Groener: Lebenserinnerungen.
Groos: Seekriegslehren.
Guderian: Erinnerungen eines Soldaten.
Handbuch für Admiralstabsoffiziere.
Heere und Flotten der Gegenwart:
Aschenborn — Deutschland.
Stenzel — Großbritannien und Irland.
Batsch — Rußland.
Hillgruber: Die Räumung der Krim 1944.
Hubatsch: Der Admiralstab und die obersten Marinebehörden in Deutschland 1848—1945.
Klee: Das Unternehmen „Seelöwe".
Leeb: Aus der Rüstung des 3. Reiches.
v. Lettow-Vorbeck: Meine Erinnerungen aus Ostafrika.
Lohmann-Hildebrand: Die deutsche Kriegsmarine 1939—1945.
Mahan: Der Seekrieg und seine Lehre.
Frhr. v. Maltzahn: Der Seekrieg.
Melzer: Kampf um die Baltischen Inseln 1917—1941—1944.
Meurer: Seekriegsgeschichte in Umrissen.
Raeder: Mein Leben.
Reichsarchiv: Kriegsrüstung und Kriegswirtschaft.
Rittmeyer: Seekriege und Seekriegswesen.
Ruge: Der Seekrieg 1939—1945.
v. Schäfer: Generalstab und Admiralstab, das Zusammenwirken von Heer und Flotte im Weltkriege.
Schüssler: Weltmachtstreben und Flottenbau.
Schwarte: Der große Krieg 1914—18.
Statistische Jahrbücher.
v. Seeckt: Gedanken eines Soldaten.
v. Tippelskirch: Geschichte des zweiten Weltkrieges.
v. Tirpitz: Erinnerungen.
Politische Dokumente, deutsche Ohnmachtspolitik im Weltkriege.

Vogel: Kurze Geschichte der deutschen Hanse.
Wedemeyer: Der verwaltete Krieg.
Wegener: Die Seestrategie des Weltkrieges.
Weyer: Flottentaschenbuch.
Zeitschriften: Marine-Rundschau, Wehrkunde, Wehrwissenschaftliche Rundschau, MOH/MOV/Nauticus.